# KOCHKUNST IN BILDERN · 4

---

Das goldene Plattenbuch der Internationalen Kochkunst-Ausstellung 1992
262 Farbabbildungen von Kreationen
mit Kurzbeschreibungen und den Namen der Verfertiger
29 Farbabbildungen der Nationalteams

The Golden Book on Platters of the International Culinary Art Exhibition 1992
262 colored pictures of the creations
with short descriptions and the names of the producers
29 colored pictures from the national teams

Le livre d'or des plateaux de l'Exposition Internationale de l'Hôtellerie et de la Restauration 1992
262 photos en couleur des créations
avec des descriptions courts et des noms des producteurs
29 photos en couleur des équipes nationale

---

*Herausgeber:*

*Verband der Köche Deutschlands e. V.*
*Frankfurt am Main*

HUGO MATTHAES DRUCKEREI UND VERLAG GMBH & CO. KG

ISBN 3-87516-632-9

*Der Verband der Köche Deutschlands und der Matthaes Verlag in Stuttgart
haben nun schon zum vierten Male eine IKA-Dokumentation ermöglicht.
An dieser Stelle danke ich all denen,
die dazu beigetragen haben, daß dieses Werk entstehen konnte.
Ein großes Lob dem Fotografenteam Wolfgang Usbeck, Georg Gottbrath
und Heike Lyding mit den Assistenten,
die alle mit viel Einsatz und großer Begeisterung die gestellte Aufgabe meisterten.
Dankbar nenne ich auch die Küchenmeister Hugo Vogel und Manfred Kaschub,
die mit Umsicht und Fachkompetenz im Trubel der Ausstellung die ausgewählten
Objekte registrierten.
„Last, but not least" möchte ich meine Frau Margarete erwähnen,
die nicht nur viel Verständnis zeigte, sondern jederzeit mit großem persönlichem
Engagement mir zur Seite stand.*
Rudolf Decker

Fotos: Food-Photographie Wolfgang Usbeck, Frankfurt a. M.

Auswahl der Abbildungen und deren Beschreibung: Küchenmeister Rudolf Decker, Maintal 2

## Inhaltsübersicht

## Table of contents

## Table de matières

## Vorwort des Präsidenten des Weltbundes der Kochverbände

Die Internationale Kochkunstausstellung 1992 liegt hinter uns. In Fachkreisen seit Jahren bekannt als die „Culinary Olympics", der Welt größte Kochkunstschau in Frankfurt am Main.

Neben der wichtigen Begegnung der Köche aus aller Herren Länder war die Vielzahl der großartigen warmen und kalten Ausstellungsarbeiten das eigentlich herausragende Ereignis, was es nun wichtig erscheinen läßt, wiederum in dem hier vorliegenden Werk „Kochkunst in Bildern" die bisherige Dokumentation dieser Reihe fortzusetzen.

Wie so manches in unserer schnellebigen Zeit ist auch die Kochkunst im ständigen Wandel begriffen, sie folgt aus vielerlei Gründen immer neuen Trends und Stilrichtungen. Nur ein Vergleich mit den Objekten früherer Ausstellungen zeigt dem aufmerksamen und interessierten Betrachter die Entwicklung, die vor allem auch gekennzeichnet ist von den immer größer werdenden Möglichkeiten der Warenbeschaffung. Auf schnellen Transportwegen, über Länder und Kontinente hinweg und bei weitgehender Unabhängigkeit des saisonalen Angebotes ist fast alles zu beschaffen, das ganze Jahr über.

Neben exzellenten handwerklichen Fertigkeiten kommt es heute außerdem auf eine besondere Sensibilität des Koches an. Er hat neben dem künstlerisch stilvollen Arrangement besonders im Auge zu behalten: die Praktikabilität im Zeichen der prekären Personalsituation und die Verwendung natürlicher Ingredienzen. Ein steigendes Gesundheitsbewußtsein der Gäste – fast überall auf der Welt – läßt es ratsam erscheinen, daß der Koch neben der Erstellung eines bloßen Kunstobjektes auch die Kriterien „vitaminreich", „leicht", „kalorienarm" und „naturbelassen" immer stärker berücksichtigt.

Hier eine Synthese zu finden, wird dem kreativen Koch eine besondere Aufgabe sein.

Wenn dieser Trend auch nur ansatzweise bei den 1992 gezeigten Arbeiten erkennbar wird, können wir von einer wünschenswerten Weiterentwicklung der Kochkunst sprechen.

Ich wünsche Ihnen viel Vergnügen beim Studieren dieses Buches und beim Betrachten der vielfältigen, meisterlichen Ausstellungsobjekte.

„Kochkunst ist Lebenskunst" und die Beschäftigung mit einer sehr lebendigen Materie.

*Heinz H. Veith*

## Introduction by the President of the International Federation of Culinary Associations

The 1992 International Culinary Exhibition (IKA) is now a thing of the past. The largest exhibition of its kind in the world, the IKA, is held in Frankfort on the Main, Germany, and for years has been known in expert circles as the "Culinary Olympics".

The exhibition not only provided an important rendezvous for chefs from all over the world, it was also the venue for a great number of fantastic hot and cold exhibits – an outstanding occasion which has prompted its continuing documentation in the form of this series of "Illustrated Cuisine".

Like so many other things in these fast-moving times, the art of cooking is constantly changing. For a variety of reasons, it moves with changing trends and styles. Only by comparing the exhibits with those of previous shows can the attentive and interested onlooker trace the developments made over the years, characterised particularly by the ever increasing possibilities of procuring raw materials. Fast transport routes across whole countries and continents and virtual independence of seasonal factors mean that practically everything is now obtainable throughout the whole year.

Nowadays, a chef needs more than just excellent manual skills. Great sensitivity is a must and alongside the artistic, stylish arrangement, he must pay particular attention to the use of natural ingredients as well as practicability in view of the precarious staff situation. A growing health consciousness on the part of the guests – almost everywhere in the world – makes it advisable for chefs not only to present a purely artistic creation, but also to ensure that the food is rich in vitamins, easily digested, low in calories, and as natural as possible.

To create a harmonious balance amongst these aspects is the challenge facing creative chefs.

Even if only the beginnings of this trend were evident in the 1992 exhibits, we can nevertheless speak of a welcome tendency in the art of cooking.

I wish you great pleasure in studying this book and contemplating the varied and brilliant exhibits.

"The art of cuisine is the art of life" and deals with a material which is very much alive.

*Yours sincerely,*
*Heinz H. Veith*

## Avant-propos du président de l'union mondiale des fédérations de cuisiniers

Le salon international 1992 consacré à l'art culinaire est terminé. Dans les cercles spécialisés, on le surnomme depuis des années «l'olympiade des cuisiniers». C'est Francfort-sur-le-Main qui accueille la plus grande manifestation mondiale dévolue à l'art culinaire.

Des rencontres importantes centre les cuisiniers de nombreux pays du monde ont pu s'y réaliser. Cependant l'événement marquant fut la présentation exceptionnelle de plats d'exposition chauds et froids, et il nous a paru important de continuer la série précédente avec ce volume de «l'art culinaire en illustrations».

Comme dans d'autres domaines, l'art culinaire n'échappe pas à l'évolution continuelle, dans ces temps où tout avance vite. Pour des motifs divers, il suit sans cesse de nouvelles tendances et renouvelle les styles. Faisons une comparaison avec les présentations des expositions précédentes: l'observateur attentif et intéressé remarque l'évolution due avant tout aux possibilités accrues d'approvisionnement. Les transports rapides entre les pays et les continents permettent de se procurer le long de l'années presque tout et cela indépendamment des saisons.

De nos jours, une «sensibilité» du cuisinier toute particulière joue un rôle important à côté d'une excellente habileté manuelle. A côté des présentations artistiques et stylées, il doit sans cesse tenir compte du sens pratique en raison des situations précaires de personnel et de l'utilisation d'ingrédients naturels. Presque partout dans le monde les clients se préoccupent de plus en plus de leur santé. En conséquence, le cuisinier ne doit pas simplement présenter une œuvre d'art mais aussi prendre en compte de plus en plus les critères suivants: vitaminé, allégé, hypocalorique et naturel.

Ce sera la tâche spéciale du cuisinier créatif d'en faire une synthèse.

Si, dans les travaux présentés en 1992, on reconnaît cette tendance seulement à ses débuts, nous pouvons néanmoins parler d'une évolution souhaitable de l'art culinaire.

Je vous souhaite d'étudier ce livre avec beaucoup de plaisir et de contempler les nombreuses présentations faites de main de maître avec délectation.

«L'art culinaire est l'art de la vie» et une activité utilisant une matière très vivante.

*Heinz H. Veith*

# Vorwort

Eine Messe wie die Internationale Kochkunstaustellung alle vier Jahre in Frankfurt am Main mitzuerleben und mitzugestalten gehört zu den Höhepunkten im Leben vieler Köche in aller Welt.

Die Vielfalt der Exponate, die enorme Kreativität der Aussteller und der anschauliche, einmalige Überblick über die Trends und Standards der Küchen der fünf Kontinente lassen beim Liebhaber der Kochkunst den Wunsch nach einem gesammelten Nachschlagewerk aufkommen. Diese Bitte zu erfüllen, ist nunmehr zum vierten Mal unser Bestreben.

In Küchenmeister Rudolf Decker gewannen wir einen souveränen Nachfolger für den verstorbenen Verfasser der bisherigen Dokumentationsreihe „Kochkunst in Bildern", Karl Brunnengräber. Sein Erbe, den Teilnehmern der „Olympiade der Köche" und der IKA ein Denkmal zu setzen, konnte fortgeführt werden. Kollege Dekker hat zusammen mit dem Fotografen Wolfgang Usbeck beispielhafte Objekte zusammengetragen, ausgewählt und kommentiert. Diese minuziöse Detailarbeit brachte einen einzigartigen Führer über die IKA '92 hervor. Für die einen mag es ein Souvenir, ein Werk zur Erinnerung sein, für die anderen richtungweisend für die moderne Ernährung in der ganzen Welt.

Das Kochen, das als Kunst gerühmt wird, dient vor allem der Lebensfreude und spiegelt die Gesellschaften wider, deshalb sollte dieses Buch auch als Anregung zur fachlichen Auseinandersetzung genutzt werden. Wohin gehen die Trends der Ernährung und Kochkunstausstellungen am Ende des 20. Jahrhunderts?

Die Küche eines Landes ist ein Mittel, andere Völker kennen- und schätzenzulernen. Liebe Kollegen und Kolleginnen, ich wünsche Ihnen vergnügliche und genußvolle Stunden bei dieser harmonischen Art von Völkerverständigung.

*Siegfried Schaber*
*Präsident des Verbandes der Köche Deutschlands e. V.*

*Beatrix Jansen*
*Geschäftsführerin des Verbandes der Köche Deutschlands e. V.*

# Preface

One of the highlights in the life of many chefs throughout the world is to experience and participate in a fair such as the International Culinary Exhibition (IKA), which is held in Frankfort on the Main every four years.

The wide range of exhibits, the immense creativity of the exhibitors and the attractive, unique presentation of current trends and standards of cuisine throughout the five continents – all these arouse in lovers of good cuisine the demand for a comprehensive reference work. And for the fourth time, we have again made every effort to satisfy this demand.

In chef de cuisine Rudolf Decker we have found a worthy successor to Karl Brunnengräber, the late author of previous editions of "Illustrated Cuisine". It has thus been possible to carry on his legacy – to pay a lasting tribute to the participants in the "Culinary Olympics" and the IKA. Together with photographer Wolfgang Usbeck, Rudolf Decker has compiled, selected and annotated exemplary exhibits. This scrupulous attention to detail has resulted in an unique guide to the IKA '92. For some it may be a souvenir, a commemorative work, for others it is an indicator of modern nutrition all over the world.

Cooking, famed as an art in itself, is a vital source of pleasure and a reflection of society – which is why this book is also intended as food for thought for culinary experts. Which direction are nutritional trends and culinary exhibitions taking at the end of the 20th century?

The cuisine of a country is one way of getting to know and appreciate its people. I wish you many hours of pleasure with this book, a particularly harmonious way of promoting international understanding.

*Siegfried Schaber*
*President of the Association of German Chefs*

*Beatrix Jansen*
*Deputy Secretary of the Association of German Chefs*

# Préface

Un salon tel que l'exposition internationale d'art culinaire a lieu tous les 4 ans à Francfort-sur-le-Main. Le voir, y participer est un événement d'importance extrême pour beaucoup de cuisiniers du monde entier.

Les présentations variées, la créativité des exposants et le tour de vue unique et remarquable sur la tendance et le standard de la cuisine des cinq continents font espérer à l'amateur d'art culinaire la publication d'un ouvrage de référence. Satisfaire ce souhait est notre désir à présent, pour la quatrième fois.

Rudolf Decker, maître-cuisinier, est le successeur souverain du défunt Karl Brunnengräber, auteur de la série documentaire «l'art culinaire en illustrations». Son héritage, élever un monument aux participants à l'IKA et aux «l'Olympiades des cuisiniers», pouvait être poursuivi. Rudolf Decker et le photographe Wolfgang Usbeck ont réuni, choisi et commenté des présentations caractéristiques. Ce travail de détail minutieux a eu pour résultat un guide unique sur l'IKA '92. C'est peut-être pour les uns seulement un objet de souvenir, pour les autres cependant il représente un guide de l'alimentation moderne dans le monde.

La cuisine, qui est célébrée comme un art, sert avant tout la joie de vivre et est un miroir de la société. C'est pourquoi ce livre est à utiliser comme point de départ à une discussion entre spécialistes. Où vont les tendances de l'alimentation et de l'art culinaire à la fin du 20ème siècle?

La cuisine d'un pays est un moyen pour connaître et apprécier d'autres peuples. Chers collègues, je vous souhaite des heures délicieusement agréables dans cette manière harmonieuse de rapprochement des peuples.

*Siegfried Schaber*
*Président de la fédération des cuisiniers allemands*

*Beatrix Jansen*
*Secrétaire général de la fédération des cuisiniers allemands*

# Mitgliedsverbände
## des Weltbundes der Kochverbände

**Afrique du Sud/South Africa/Südafrika**
South African Chefs Association
*President Mr. Bill Gallagher*
P.O. Box 414
Johannesburg, 2000

**Allemagne/Germany/Deutschland**
Verband der Köche Deutschlands
*President Mr. Siegfried Schaber*
Steinlestraße 32
D-6000 Frankfurt 70

**Arabie Saoudite/Saudi Arabia/**
**Saudi-Arabien**
Les Toques Blanches
*President Mr. Heinz Kohler*
Red Sea Palace
P.O. Box 824
Jeddah 21421 K.S.A.

**Australie/Australia/Australien**
Australien Society of Chefs
and Cooks Association
*President Mr. Keith Byron*
19 Kennon Street, Doncaster Ea
Melbourne, Victoria 3109

**Autriche/Austria/Österreich**
Verband der Köche Österreichs
*President Mr. Herbert Hüpfel*
Philippovichgasse 1–3/stg XI
A-1190 Wien

**Belgique/Belgium/Belgien**
Association et Groupement Professionnel
des Cuisiniers de Belgique
*President Mr. Julien Veerersch*
Vatel Club
37, rue H. Maus – b. 2
B-1000 Bruxelles

**Canada/Canada/Kanada**
The Canadian Federation of Chefs de Cuisine
*President Mr. Arthur Raynor*
738-A Bank Street, Suite 202
Ottawa, Ontario KIS 3V4

**Republic of China/Volksrepublik China**
China Cuisine Association
*President Mr. Jang Xi*
45, Fixingmennei Street
Beijing

**Colombia/Colombia/Columbien**
Associacion de Cocineros de Colombia
*President Mr. Ernst Reuter*
Carrera 7 No. 69 A-22
Bogota

**Corée du Sud/South Corea/Südkorea**
Korean Center Cooks Association
Union Building
69–75 Kalwal-Dong
Yongsan-Ku, Seoul

**ČSFR/Č.S.F.R./Tschechoslowakei**
Departement of National Commit
*Director Jiri Petrak*
Staromestske Nam 6
PSC 110, 01 Praha

**Cuba/Cuba/Kuba**
Associacion Culinaria de la Republica de Cuba
*President Jose Luis Santana Guedes*
Obispo, 302 Esq. Aquidar
Habana, Vieja

**Danemark/Denmark/Dänemark**
Kokkencheffernes Forening
*President Mr. Willy Nielsen*
Darupland 65, 3 sal.tv
2660 Brondby Strand

**D.P.R.K./North Corea/Nordkorea**
Cooks Association DPRK
*President Mr. Li Tchang Ho*
Mi san gak Pavillion
56–21 Mundekstreet
Taesong District Pyonyang

**l'Égypt/Egypt/Ägypten**
Les Toques Blanches Egypt
*President Mr. A. Vomend*
Safir-Hotel Cairo
Aidan El Misaha
Gize – Cairo

**États-Unis/U.S.A./Vereinigte Staaten**
American Culinary Federation
*President Mr. Keith Keogh*
P.O. Box 3466
St. Augustine, Florida 32084

**12**

Société Culinaire Philanthropique
Fisk Building
250 West 57th Street
New York, N.Y. 10019

Vatel Club
Fisk Building
Suite 930–931
250 West 57th Street
New York, N.Y. 10019

**Espagne/Spain/Spanien**
F.A.C.Y.R.E.
Travesion del Arenal 1
3 – despacho 3
28013 Madrid

**Finlande/Finland/Finnland**
Suomen Keittiomestraiydi - Stys
Keskustiitoo r-y-
Undenmaankatu 34 A 8
00120-Helsinki 12

**France/France/Frankreich**
Société Mutualiste des Cuisiniers de France
45, rue Saint Roch
F-75005 Paris

**Grande-Bretagne/Great Britain/Großbritannien**
Chefs and Cooks Circle
*President Mr. Brian Cotterill*
13 Underne Avenue
Southgate, N14 7ND

**Holland/Netherlands/Niederlande**
Netherland Club voor Chefskoks
*President Mr. Geervliet*
c/o Mr. R. J. ten Berge
Schans 298
1423 CD Uithoorn

**Hong Kong/Hong Kong/Hongkong**
Hong Kong Chefs Association
c/o Mr. Heinz Egli
New World Hotel
22 Salisbury Road, Tsimskatsui
Kowloon

**Hongrie/Hungary/Ungarn**
The Hungarian Cooks' Society
c/o Mr. Karoly Unger
Rakoczi ut 58
1074 Budapest

**Indonesia/Indonesien**
P. T. Angkasa Citra Sirana
*President Mr. W. H. Braun*
*P.O. Box 3575*
*Jakarta*

**Irlande/Ireland/Irland**
Panel of Chefs of Ireland
*President Mr. John Coughlan*
10 Gracepark Gardens
Drumcondra
Dublin 9

**Islande/Iceland/Island**
Iceland Chef Association
*President Mr. Jakob Magnusson*
*Hofnarstraeti 15*
*IS-101 Reykjavik*

**Israël/Israel/Israel**
Cercle de Chefs de Cuisine d'Israël I.C.C.
*President Mr. Uri Guttmann*
P.O. Box 388
Herzlia „B"

**Italie/Italy/Italien**
Federazion Italiane Cuochi
*President Mr. Carlo Re*
Via Monte di Pieta 1
I-20121 Milano

**Japon/Japan/Japan**
Al Japan Cooks Association
*President Mr. Nobutsugu Fujisaku*
*6-12-16 Roppongi Minato-Ku*
*Tokyo*

**Luxembourg/Luxemburg/Luxemburg**
Vatel Club
*President Mr. Germain Gretsch*
47, route de Mondorf
L-5552 Remich

**Malaysia/Malaysia/Malaysia**
Chefs Association of Malaysia
*President Mr. Terence Lim*
c/o Holiday Inn On The Park
P.O. Box 10983, Jalan Pinang
50732 Kuala Lumpur

**Maurice/Mauritius/Mauritius**
Air Mauritius
c/o Mr. Barry Andrews
SSR International Airport

**Monaco/Monaco/Monaco**
Le Grand Cordon d'Or
23, boulevard des Moulins
Monte Carlo

**Norvège/Norway/Norwegen**
Norges Kokkemesteres Landsforening
*President Mr. Lauritz Hansen*
Postboks 735
N-4001 Stavanger

Nordic Chefs Association
*President Mr. Lauritz Hansen*
Postboks 735
N-4001 Stavanger

**Nouvelle-Zélande/New Zealand/Neuseeland**
New Zealand Master Chefs Ass.
*Mr. Trevor Watts*
Collins Road
Hamilton

**Philippines/Philippines/Philippinen**
Les Toques Blanches
*President Mr. Werner Berger*
7431 Jakal Street
Makati
Metro Manila

**Portugal/Portugal/Portugal**
Associacao Dos Cozinheiros
E Pasteleiros de Portugal
*President Mr. Orlando Esteves*
Rua Condde Rebondon, 53, 4 Esq.
1100 Lisboa

**Roumanie/Romania/Rumänien**
The Romanian Association of Cooks
*President Mr. E. V. Dobrescu*
St. Blanari Nr. 21
Bucuresti III

**Singapoure/Singapore/Singapur**
Singapore Chefs Association
*President Mr. Otto Weibel*
24 Nassim hill

**Slowenia/Slowenia/Slowenien**
Grand Hotel Toplice
*President S.K.Y.*
Mr. Janez Lencek
64260 Bled

**Suède/Sweden/Schweden**
Sveriges Kökschefers Förening
*President Kurt Weid*
P.O. Box 7720
S-10395 Stockholm

**Suisse/Switzerland/Schweiz**
Société Suisse des Cuisiniers
*President Mr. Vincent Bosotto*
P.O. Box 4870
CH-6002 Lucerne

**Thaïland/Thailand/Thailand**
Chefs Association
*President Mr. Peter A. Knipp*
*c/o Hilton International Bangkok*
*2, Wireless Road*
*Bangkok 10500*

**Zimbabwe/Zimbabwe/Zimbabwe**
Zimbabwe Chefs Association
*President Mr. Glen Stuchbury*
P.O. Box HG 543, Highlands
Harare

# Der Verband der Köche Deutschlands e. V.

Der Verband der Köche Deutschlands e. V. gilt als der größte und traditionellste Berufsfachverband seiner Art.

Im letzten Jahrhundert gegründet, zählt er heute ca. 16 000 Mitglieder, die in 150 Zweigvereinen organisiert sind.

Durch die Vereinigung steigen gerade die Zweigvereinsgründungen in den neuen Bundesländern stetig.

Der Verband der Köche Deutschlands e. V. vertritt folgende Ziele:
- Einflußnahme auf das Image des Kochs
- Kontaktpflege und Förderung der Kochkunst
- Anerkennung als Meinungsführer im Berufsfeld Koch
- Nachwuchsförderung

und zeichnet sich durch vielfältige Aktivitäten wie Wettbewerbe
- Wettbewerb des VKD um den Rudolf-Achenbach-Preis
- Goldene Kochmütze
- Diätwettbewerb des VKD um den Eto-Pokal
- Bundeswettbewerb der Gemeinschaftsverpflegung
- Gläsernes Halstuch

sowie
- Ausrichtung des Laurentiustages
- Aufbau einer Nationalmannschaft
- Aufbau einer Jugendnationalmannschaft
- Ideeller Träger von Symposien und Messen
- Organisation und Ausführung der „Internationalen Kochkunstausstellung/Olympiade der Köche" alle vier Jahre in Frankfurt

aus.

Der Verband der Köche Deutschlands bietet seinen Mitgliedern Informationspflege, Mitgliederbetreuung, Weiterbildungsangebote, Versicherungsschutz und Fachinformationen.

Die 150 Zweigvereine organisieren sich wiederum in 8 Arbeitsgemeinschaften. Wichtige Aufgaben der Zweigvereine sind unter anderem, die fachliche Meinungsbildung durch Kontakte untereinander zu unterstützen und dabei sich besonders der Förderung der Jugend zu widmen.

Die Arbeitsgemeinschaften helfen dem Verband der Köche Deutschlands e. V., die hohe Anzahl der Zweigvereine gleichzeitig mit aktuellen Informationen zu versorgen. Daneben erhält der Verband durch die Arbeitsgemeinschaften weitere Anregungen für die Verbandsaktivitäten.

Den Mitgliedern, dem Vorstand und der Geschäftsstelle stehen 8 beratende Ausschüsse zur Verfügung:
- Beirat Berufliche Fortbildung
- Beirat Kochkunst-Ausstellungen
- Beirat Gastronomie-Hotel-Restaurant
- Beirat Elektronische Datenverarbeitung
- Beirat Großverpflegung und Catering
- Beirat Jugend und Berufsausbildung
- Beirat Krankenhäuser, Heime und Sanatorien
- Beirat Soziales

sowie Revisionsausschuß und Ehrensenat, die detaillierte Problemlösungen zu berufsbezogenen Fragen erarbeiten.

Durch sein hohes Ansehen und seine natürliche fachliche Kompetenz hat der Verband ein besonderes Mitspracherecht in allen Fragen der Weiterbildung, insbesondere des „diätetisch geschulten Koches DGE", womit er einen entscheidenden Teil zur gesunden, ernährungsphysiologisch richtigen Verpflegung der Bevölkerung beiträgt.

Darüber hinaus ist der Verband der Köche Deutschlands Herausgeber der Fachzeitschrift „Küche", die monatlich erscheint und an alle Mitglieder verteilt wird. Die „Küche" dient mit ihrer fachlich fundierten Redaktionsarbeit der permanenten Schulung und Weiterbildung des Koches bzw. der Köchin.

Präsident des Verbandes der Köche Deutschlands ist zur Zeit Siegfried Schaber, Bad Reichenhall. Seine Vizepräsidenten sind Gerhard Bauer, Neustadt; Franz Kramer, Hamburg; Reinwalt Renz, Stuttgart; und Otto Arnold, Fulda. Die kommissarische Geschäftsführung liegt bei Beatrix Jansen. Pressereferentin ist Frau Deborah Schumann.

# Internationale Jury der Nationalmannschaften

**Kategorie A/B:**
Matthias Schantin (D)
Billy Gallagher (ZA)
Herbert Hüpfel (A)
Aloyse Jacoby (L)
Georges Knecht (CH)
Hubert Scheck (CAN)
Fritz Sonnenschmidt (USA)

**Kategorie C:**
Kurt Matheis (D)
Joseph Caviezel (SGP)
Helmut Koloini (A)
Helmut Loibl (USA)
Camille Schumacher (L)

**Kategorie R:**
Norbert Gillmayr (D)
Willy Abler (S)
Heinz Brunner (ZA)
Gerhard Dammert (D)
Misuro Hayano (J)
Ferdinand Metz (USA)
Otto Weibl (SGP)

---

# Nationale Jury der Einzelaussteller

**Kategorie A:**
Josef Hottenträger
Axel Rühmann
Erich Häusler

**Kategorie A + B:**
Josef Schmitt
Josef Gründler
Wolfgang Markloff

**Kategorie B:**
Adolf Burgthaler
Jochen Gehler
Heinz-Werner Huber

**Kategorie C + D 2:**
Hans Hertel
Peter Doll
Karl Schumacher
Armand Maier
Walter Sauerbrei
Gerhard Dubois

*Springergruppe:* Manfred Staendeke, Henning Steller, Wolfgang Stein
(A, B, D 1)

---

# Jury der Jugend

**Jugendnationalmannschaften**
Heinrich Wächter (D)
Karl Ruppert (A)
Gerhard Tüttelmann (D)
Norbert Schmidiger (CH)
Manfred Hennig (Aus)

**Jugendregionalmannschaften**
Helmut Roock
August Guter
Klaus Huber

**Jury Kategorie D**
Dieter Ratke
Manfred Mutter
Rolf Unsorg

---

# Internationale Jury der Regionalmannschaften

**Kategorie A:**
Bernhard Wegener (D)
Erhard Gall (CH)
Jan Hekkelmann (NL)
Friedrich Nagel (D)
Helmut Stadelbauer (A)

**Kategorie B:**
*1. Gruppe*
Klaus Böhler (D)
Heinrich Rauscher (A)
Dieter Ratke (D)

*2. Gruppe*
Wolfgang Walter (D)
Uri Guttmann (IL)
Erhard Schäfer (D)

**Kategorie C:**
Kurt Schindler (D)
Omero E. P. Gallucci (GB)
Werner Paulik (D)

**16**

# Aufgaben der Juroren

Die Juroren arbeiten nach den erstellten Richtlinien für die IKA „Olympiade der Köche" 1992 sowie nach den Anweisungen des Jury-Vorsitzenden.

*Die Juroren haben folgende Aufgaben und Tätigkeiten:*
Die Arbeit als Juror ist ein Ehrenamt und verpflichtet zu einer objektiven und neutralen fachlichen Beurteilung.

Für die Juroren findet am Samstag, dem 10. Oktober 1992, um 14 Uhr ein Informationsgespräch statt.

Hier werden genaue Details zur Anwendung der neuen Richtlinien erläutert. Die Teilnahme daran ist Pflicht.

Die Juroren sind verpflichtet, die ihnen zugestellten Jury-Unterlagen zu studieren und sich auf ihre Arbeit vorzubereiten.

Die Juroren haben sich pünktlich um 6 Uhr bei der Plattenschau in Halle 9, VKD-Büro, einzufinden. Dort erhalten sie ihre Wertungsbögen und die notwendigen Informationen.

Sollte kurzfristig die Jury-Tätigkeit nicht angetreten werden können, so ist die Geschäftsstelle des VKD oder der Jury-Vorsitzende zu informieren.

Weißer Berufsmantel ist mitzubringen; es ist nicht erwünscht, in der Kochjacke zu jurieren.

Gespräche über die Arbeiten der Aussteller während der Bewertung sind zu unterlassen. Für Zweifelsfragen ist der Jury-Vorsitzende anzusprechen. Resultate müssen bis zur Preisverleihung geheim bleiben. Die Bewertungsblätter müssen mit Bleistift geschrieben, gut lesbar, vollständig ausgefüllt und innerhalb der vorgegebenen Zeit abgegeben werden.

Für interessierte Verfertiger wird täglich ab 14 Uhr von einzelnen Juroren ein Informationsgespräch durchgeführt. Hierbei soll das Positive oder Negative der gezeigten Objekte angesprochen werden, um somit dem Verfertiger die Möglichkeit zu geben, daraus zu lernen.

Die Teilnahme der Juroren an der Preisverleihung ist Pflicht und wird jeweils morgens eingeteilt.

Eine allzu große Differenz bei der Punktvergabe, die vom Juror nicht begründet werden kann, kann zur Folge haben, daß diese Wertung gestrichen wird.

Bei Wiederholung kann dies zur Folge haben, daß der Juror ausgeschlossen wird. Dies gilt auch für unkorrektes Verhalten.

Die Olympiade der Köche 1992 wird einen Höhepunkt in der Kochkunst darstellen.

Ich bin sicher, daß wir Juroren durch eine hervorragende Arbeit erheblich dazu beitragen.

*Präsident der internationalen Jury*
*Gerhard Bauer*

## Eidesformel für Juroren

*Wir, die Juroren der Internationalen Kochkunst-Ausstellung, der Olympiade der
Köche 1992 in Frankfurt am Main, geloben, dieses Ehrenamt streng, aber fair nach
den bestehenden Richtlinien durchzuführen.
Wir werden durch unsere Arbeit dazu beitragen, die Freundschaft und
Verbundenheit der Köche dieser Welt zu vertiefen und der Kochkunst zu einem
neuen Höhepunkt zu verhelfen.*

# Richtlinien für Aussteller/Teilnehmer und Jury

Die richtige Benennung der Ausstellungsstücke wird zur Pflicht gemacht.

Die Platte muß dem Gericht und der Personenzahl angemessen sein.

Platten nicht überladen. Beilagen können separat angerichtet werden.

Warm gedachte Gerichte nicht auf Büfettplatten anrichten.

Bei warm gedachten Gerichten Teller und Platten nicht mit Gelee ausgießen.

Alles Nichteßbare vermeiden, Sockel und ähnliches (Croûtons sind keine Sockel).

Papierunterlagen nur für die im Fettbad gebackenen Speisen, keine Papiermanschetten verwenden.

Das Belegen der Teller- und Plattenränder wirkt unhygienisch.

Richtige Grundzubereitung, der heutigen modernen Kochkunst entsprechend.

Die Speisen sollen einen natürlichen, appetitlichen Anblick bieten.

Beilagen und Zutaten müssen mit dem Hauptstück in Menge, Geschmack und Farbe harmonieren und sollen den Erkenntnissen der modernen Ernährungslehre entsprechen.

Zweckmäßige, kulinarisch einwandfreie, bekömmliche Zubereitung.

Das Portionengewicht soll ca. der Hälfte des À-la-carte-Gewichtes entsprechen.

Bei Verwendung von Schlagrahm, Cremes usw. ist künstliche Bindung erlaubt.

Nicht exakt geschnittenes oder tourniertes Gemüse zieht Fehlpunkte nach sich.

Dekorieren mit Petersilie, Brunnenkresse usw. vermeiden.

Fleisch- und Gemüsesäfte dürfen die Platte nicht unansehnlich machen.

Saucieren nur zur Hälfte füllen.

Fleisch – falls Früchte verwendet werden – nur mit kleinen Früchten, dünnen Fruchtscheiben usw. garnieren.

Sauberer, richtiger Schnitt des Fleisches. Fleisch auf englische Art ist à point zu braten, das heißt rosa, damit beim Gelieren kein roter Fleischsaft ausgezogen werden kann.

Fleischtranchen sind nicht, wie sie beim Schnitt fallen, sondern mit der Schnittseite zum Besucher vor das Fleischstück zu ordnen, um einen schnellen und für den Gast einfachen Service zu gewährleisten.

Warme Gerichte, kalt ausgestellt, sollten zwecks Frischhaltung mit Gelee überglänzt werden.

Gelee darf mehr als üblich Gelatine zugesetzt werden.

Für Fisch wasserklares Fischgelee; für Schlachtfleisch, Wild und Geflügel Fleischgelee verwenden.

Der besseren Haltbarkeit wegen sollen die Beilagen/Garnituren nicht ganz weich gekocht, dafür aber mit Gelee überglänzt werden.

Geleetränen an Fleisch und Beilagen sind sorgfältig zu entfernen.

Eier nur auf Glas, Porzellan oder Geleespiegel anrichten.

Sauberes, exaktes Anrichten und vorbildliche Anordnung, um ein zweckmäßiges Servieren zu ermöglichen.

Die Preisrichter werden den Gewohn- und Gepflogenheiten der Küche der beteiligten Länder Rechnung tragen.

Bei Nichtbeachtung dieser Richtlinien erfolgt Punktabzug.

# Guidelines for Exhibitors/Competitors and Jury

Correct designation of the exhibits is obligatory.

The platter must be suited to the dish and number of persons.

Do not overfill platters. Accompaniments may be served separately.

Do not arrange dishes which are to be served hot on a buffet platter.

Do not decorate plates and platters with jelly for dishes which are to be served hot.

Avoid all inedible items, bases etc. (croutons are not bases).

Use paper doileys only for deep-fried food; do not use paper frills.

For reasons of hygiene, do not arrange food on the borders of plates or platters.

Correct basic preparation in accordance with modern cooking principles.

The food should have a natural, appetizing appearance.

Accompaniments and ingredients must harmonize with the main item in terms of quantity, taste, and colour and should correspond to modern nutritional theory.

Food preparation should bear in mind practical and culinary aspects and food should be easily digestible.

Portion weight should be approx. half the à la carte weight.

Fresh cream, cream sauces etc. may be thickened artificially.

Points will be deducted for untidily cut or shaped vegetables.

Avoid garnishing with parsley, watercress etc.

Meat and vegetable juices must not spoil the look of the platter.

Only half fill sauceboats.

If using fruit to garnish meat, use only small fruit, thin slices etc.

Carve meat cleanly and accurately. Rare meat should be roasted à point, i. e. until pink, so that no red juices are absorbed by the jelly.

Slices of meat should not be arranged as they fall when cut, but with the cut side facing the visitor in front of the joint, to ensure faster and simpler service for the guest.

Hot dishes which are exhibited cold should be coated with aspic to keep them fresh.

More than the normal amount of gelatine may be used for jellies/aspic.

Use perfectly clear fish jelly for fish, meat jelly for meat joints, game, and poultry.

Accompaniments/garnishes should not be cooked until thoroughly soft but coated with jelly so that they keep better.

Drips of jelly on meat and accompaniments should be carefully removed.

Serve eggs only on glass, china, or bed of jelly.

Ensure clear and exact presentation and perfect arrangement to permit convenient serving.

The jury will pay due regard to the national culinary customs and habits of the participating countries.

Points will be deducted for failure to comply with these guidelines.

The guidelines valid for the IKA have been drafted in accordance with WACS guidelines.

# Instructions pour les exposants et participants ainsi que pour le jury

La dénomination exacte des pièces d'exposition est obligatoire.

Le plat doit être adapté au mets et au nombre de personnes.

Ne pas surcharger les plats. Les garnitures peuvent être présentées séparément.

Les mets à servir chauds ne doivent pas être présentés sur des plats de buffet.

Pour les mets à servir chauds, ne pas recouvrir les plats et assiettes de gelée.

Eviter tout ce qui n'est pas mangeable, socles et supports analogues (les croûtons ne sont pas des socles).

Utiliser des napperons en papier seulement pour les mets cuits dans la friture, ne pas employer des manchettes en papier.

La disposition des mets sur les bords des plats et des assiettes ne fait pas hygiénique.

La préparation de base correcte doit correspondre à l'art culinaire moderne d'aujourd'hui.

Les mets doivent avoir un aspect naturel et appétissant.

Les garnitures et ingrédients doivent harmoniser avec la pièce principale en quantité, saveur et couleur; ils doivent correspondre aux règles de la diététique moderne.

Préparation digestible, adaptée et culinairement impeccable.

Le poids d'une portion doit correspondre à environ la moitié du poids servi à la carte.

Une liaison artificielle est autorisée lors de l'utilisation de crème fouettée, crèmes etc.

Les légumes qui ne sont pas exactement coupés ou tournés entraînent des points de pénalisation.

Eviter les décorations avec du persil, du cresson etc.

Les fonds de viandes et de légumes ne doivent pas nuire à l'esthétique du plat.

Remplir les saucières à moitié.

En cas d'utilisation de fruits, garnir la viande uniquement de petits fruits, de quartiers de fruits coupés finement etc.

La viande doit être coupée soigneusement et correctement. La viande à l'anglaise doit être cuite à point, c'est-à-dire rosée, pour que le jus saignant ne sorte pas lors du glaçage.

Les tranches de viande sont à présenter, non comme elles tombent lors de la coupe, mais avec la tranche posée devant la pièce de viande pour permettre au client de se servir plus facilement.

Les mets chauds, exposés froids doivent être glacés avec de la gelée pour une meilleure conservation.

Il est permis d'ajouter davantage de gelée qu'il n'est d'usage pour la gélatine.

Pour le poisson, utiliser de la gelée de poisson claire; pour la viande de boucherie, le gibier et la volaille, de la gelée de viande.

Pour une meilleure conservation, les garnitures et décorations doivent rester croquantes et être glacées avec de la gelée.

Les gouttelettes de gelée restant après la viande et les garnitures sont à éliminer soigneusement.

Présenter les œufs uniquement sur du verre, de la porcelaine ou un miroir de gelée.

Une préparation exacte et soigneuse, une disposition exemplaire pour permettre un service approprié.

Les membres du jury prendront en compte les habitudes et particularités des cuisines des pays participants.

Des points de pénalisation seront attribués pour la non-observation de ces instructions.

# Teilnahmebedingungen und Auszeichnungen

## Einzelaussteller

Teilnahmemöglichkeit in den Kategorien A, B, C, D, D/1 und D/2. Ein und dasselbe Objekt kann nur eine Bewertung erhalten.

*Punktetabelle für Medaillen, Kategorie A, B, C und D*

| | | |
|---|---|---|
| 0 – 27 | Beteiligungsurkunde | |
| 28 – 31 | Bronzemedaille | und Urkunde |
| 32 – 35 | Silbermedaille | und Urkunde |
| 36 – 39 | Goldmedaille | und Urkunde |
| 40 | Goldmedaille mit Auszeichnung | und Urkunde |

Aussteller, die mindestens 5 Goldmedaillen erringen konnten, erhalten den

*Großen Preis in Gold*

Aussteller, die mindestens 5 Silbermedaillen erringen konnten, erhalten den

*Großen Preis in Silber*

*Punktetabelle für das Kleeblatt, Kategorie D/1 und D/2*

0 – 27 Punkte Beteiligungsurkunde
28 – 31 Punkte das bronzene Kleeblatt mit Diplom
32 – 35 Punkte das silberne Kleeblatt mit Diplom
36 – 40 Punkte das goldene Kleeblatt mit Diplom

## Nationalteams

Nur die nationalen Verbände, die dem Weltbund der Köche angehören, können pro Nation ein Team am Wettbewerb teilnehmen lassen.

Das Team besteht aus: 1 Teamchef
                       3 Köchen
                       1 Patissier
                       1 Ersatzmitglied

Der Teamchef darf in allen Bereichen mitarbeiten.

Das Nationalteam erstellt folgendes Programm an 2 Tagen:

1 Tag   1 × Kategorie A zusätzlich eine Schauplatte
           1 × Kategorie B
           1 × Kategorie C
1 Tag   1 × Kategorie R

## Auszeichnungen

Das Nationalteam, das aus allen Kategorien von A, B, C und R die höchste Punktzahl erreicht hat, ist
*„Olympiasieger der Köche IKA 1992"*
Das Nationalteam, das in den einzelnen Kategorien A, B, C oder R die meisten Punkte erreicht hat, ist Olympiasieger in der jeweiligen Kategorie.

*Punktetabelle für Medaillen
in den Kategorien A, B und C*

| | | |
|---|---|---|
| 0 – 83 Punkte | Beteiligungsurkunde | |
| 84 – 95 Punkte | Bronzemedaille | mit Urkunde |
| 96 – 107 Punkte | Silbermedaille | mit Urkunde |
| 108 – 120 Punkte | Goldmedaille | mit Urkunde |

Bei 3 Wertungen sind insgesamt bis zu 120 Punkten je Kategorie zu erreichen.

*Punktetabelle für Medaillen in der Kategorie R*

| | | |
|---|---|---|
| 0 – 167 Punkte | Beteiligungsurkunde | |
| 168 – 191 Punkte | Bronzemedaille | mit Urkunde |
| 192 – 215 Punkte | Silbermedaille | mit Urkunde |
| 216 – 240 Punkte | Goldmedaille | mit Urkunde |

Es können pro Menügang bis zu 80 Punkten erzielt werden. Daraus ergeben sich $3 \times 80 = 240$ Punkte insgesamt.

## Kategorie D/1 und D/2

Die Teilnahme ist den Teams freigestellt.
Für jedes erfüllte Programm werden bei Erreichen der dazu notwendigen Punkte pro Team je ein Kleeblatt und eine Urkunde verliehen.

Die hier erzielten Punkte haben keinen Einfluß auf das Gesamtergebnis des Teams.

## Regionale und individuelle Mannschaften

Die Mannschaften bestehen aus: 3 Köchen
                                   1 Patissier
                                   1 Teamchef

Sie präsentieren folgendes Programm an einem Tag:   1 × Kategorie A zusätzlich eine Schauplatte
                2 × Kategorie B
                1 × Kategorie C

*Auszeichnungen:*

Da sie als Mannschaft auftreten, werden die Wertungen addiert. Der sich daraus ergebende Durchschnitt ist das Gesamtergebnis der Mannschaft. Jedes Mannschaftsmitglied erhält eine Urkunde und eine Medaille entsprechend dem Gesamtergebnis.

*Punktetabelle für Medaillen
in den Kategorien A, B und C*

| | | |
|---|---|---|
| 0 – 251 Punkte | Beteiligungsurkunde | |
| 252 – 287 Punkte | Bronzemedaille | mit Urkunde |
| 288 – 323 Punkte | Silbermedaille | mit Urkunde |
| 324 – 360 Punkte | Goldmedaille | mit Urkunde |

Bei 3 Wertungen sind insgesamt bis zu 120 Punkten je Kategorie zu erreichen.
Die Mannschaften, die die meisten Punkte erzielen, werden mit dem

*„Cup der IKA 1992"*

in Gold, Silber oder Bronze ausgezeichnet.

## Kategorien D/1 und D/2

Die Teilnahme ist den Mannschaften freigestellt. Für jedes erfüllte Programm werden bei Erreichen der dazu notwendigen Punkte pro Mannschaft je ein Kleeblatt und eine Urkunde verliehen.
Die hier erzielten Punkte haben keinen Einfluß auf das Gesamtergebnis der Mannschaft.

## Jugendnationalmannschaften

Die Mannschaft besteht aus vier Teilnehmern und einem Betreuer. Die Teilnehmer können Auszubildende, Commis de cuisine, Kochschüler oder Studenten im Berufsfeld Koch sein.
Die Teilnehmer dürfen nicht älter als 23 Jahre sein. Der Wettbewerb umfaßt zwei Bereiche, die an einem Tag zu absolvieren sind.

### 1. Warme Küche

Herstellen von 110 Portionen eines Tellergerichtes
*Bewertungskriterien:*

| | |
|---|---|
| Mise en place | 0 – 20 Punkte |
| Ordnung, Sauberkeit | 0 – 20 Punkte |
| Fachgerechte Zubereitung | 0 – 60 Punkte |
| Praxisgerechte Anrichteweise | 0 – 40 Punkte |
| Geschmack | 0 – 40 Punkte |
| Kooperatives Arbeiten – Teamwork | 0 – 20 Punkte |
| Gesamtzahl der möglichen Punkte | 200 Punkte |

### 2. Kochstudio

Jedes Mitglied der Mannschaft nimmt am Nachmittag an dem Wettbewerb im Kochstudio teil.
Ihm stehen 30 Minuten Arbeitszeit für eine der Aufgaben zur Verfügung.
Die Aufgaben, welche am Wettbewerbstag unter den Mannschaftsmitgliedern ausgelost werden, sind:

a) Filetieren eines ganzen Lachses und Herstellen einer kalten Vorspeise aus Lachs für 4 Personen
b) Herstellen einer Lachsbrühe; Herstellen von Lachsfarce und Verarbeiten zu einer warmen Vorspeise bzw. Zwischengericht für 4 Personen
c) Herstellen eines Hauptgerichtes von Lachs bei Verwendung von Blätterteig mit 3 verschiedenen Gemüsen für 4 Personen
d) Herstellen von 4 Desserttellern unter Verwendung von Sabayon und 4 verschiedenen Früchten

In jeder Aufgabe sind 4 gleiche Teller zu erstellen.

*Bewertungskriterien:*

| | |
|---|---|
| Ordnung und Sauberkeit | 0 – 5 Punkte |
| Arbeitstechnik | 0 – 10 Punkte |
| Präsentation | 0 – 10 Punkte |
| 25 Punkte × 4 Teilnehmer = | gesamt 100 Punkte |

---

Die Bedeutung der Piktogramme über den Farbabbildungen ab Seite 64

Ⓖ  *Goldmedaille*          Ⓖ  *Goldenes Kleeblatt*

Ⓢ  *Silbermedaille*        Ⓢ  *Silbernes Kleeblatt*

Ⓑ  *Bronzemedaille*        Ⓑ  *Bronzenes Kleeblatt*

# Wettbewerbsbedingungen IKA 1992

## Kategorie – A

### Vorspeisen- und Schauplatten
- 1 kalte festliche Platte für 8 Personen
- 1 Vorspeisenplatte – bestehend aus 8 verschiedenen Vorspeisen für 8 Personen ($8 \times 8 = 64$)

*Präsentation*       *0 – 10 Punkte*
Appetitliche, geschmackvolle, elegante Darbietung; moderner Stil

*Zusammenstellung*       *0 – 10 Punkte*
In Farbe und Geschmack harmonierend, zweckmäßig, bekömmlich, leicht

*Korrekte fachliche Zubereitung*       *0 – 10 Punkte*
Richtige Grundzubereitungen, der heutigen modernen Kochkunst entsprechend

*Anrichten/Servieren*       *0 – 10 Punkte*
Sauberes, exaktes Anrichten und vorbildliche Anordnung, um ein zweckmäßiges Servieren zu ermöglichen

*Gesamtzahl der möglichen Punkte =*       *40 Punkte*

## Kategorie – B

### Restaurationsplatten – Menüs
– warm gedacht, kalt präsentiert –
- 2 verschiedene Restaurationsplatten bzw. Gerichte für je 2 Personen
- 1 Tagesmenü (Mittagessen) für 1 Person, bestehend aus 3 Gängen, einschließlich 1 Süßspeise
- 1 Gourmet-Menüs für 1 Person, bestehend aus 7 Gängen, einschließlich 1 Süßspeise

*Präsentation*       *0 – 10 Punkte*
Appetitliche, geschmackvolle, elegante Darbietung; moderner Stil

*Zusammenstellung*       *0 – 10 Punkte*
Ernährungsphysiologisch ausgewogen, in Farbe und Geschmack harmonierend, zweckmäßig, bekömmlich, leicht

*Korrekte fachliche Zubereitung*       *0 – 10 Punkte*
Richtige Grundzubereitungen, der heutigen modernen Kochkunst entsprechend

*Anrichten/Servieren*       *0 – 10 Punkte*
Sauberes und exaktes Anrichten, keine gekünstelten Garnituren und zeitraubende Anrichteweise, vorbildliche Anordnung, um ein zweckmäßiges Servieren zu ermöglichen

*Gesamtzahl der möglichen Punkte =*       *40 Punkte*

## Kategorie – C

### Patisserie
- Alle ausgestellten Objekte müssen aus eßbarem Material sein.

- 1 Dessertplatte für 6 Personen bei freier Themenauswahl (Hochzeit, Geburtstag usw.)
- 1 Platte mit Teegebäck, Pralinen, Petits fours 8 verschiedene Sorten für 8–10 Personen mit Dekorationsstück
- 4 verschiedene warm gedachte oder kalte Süßspeisen für 1 Person, einzeln angerichtet

*Präsentation*       *0 – 10 Punkte*
Appetitliche, geschmackvolle und elegante Darbietung; moderner Stil

*Zusammenstellung*       *0 – 10 Punkte*
Geschmacklich und farblich harmonierend, zweckmäßig, bekömmlich, leicht

*Korrekte fachliche Zubereitung*       *0 – 10 Punkte*
Richtige Grundzubereitungen, der heutigen modernen Patisserie entsprechend

*Anrichten/Servieren*       *0 – 10 Punkte*
Sauberes und exaktes Anrichten; vorbildliche Anordnung, um ein zweckmäßiges Servieren zu ermöglichen

*Gesamtzahl der möglichen Punkte =*       *40 Punkte*

## Kategorie – D

### Diät – Kostformen
- 1 Festmenü, bestehend aus 4 Gängen für 1 Person Diabetes mellitus 3 BE
- 1 Festmenü, bestehend aus 4 Gängen für 1 Person Purinarme Kost, max. 300 mg Harnsäure

- 1 Tagesspeisenangebot für eine Reduktionskost
  1200 kcal
  Aufgeteilt in: 1. Frühstück, 2. Frühstück, Mittagessen, Nachmittag, Abendessen

*Präsentation*                    *0 – 10 Punkte*
Appetitliche, geschmackvolle und elegante Darbietung; trendentsprechend

*Zusammenstellung*                *0 – 10 Punkte*
Beachtung der Diätprinzipien, Nährwertberechnung für alle Ausstellungsstücke; ernährungsphysiologisch ausgewogen; in Farbe und Geschmack harmonierend, zweckmäßig, bekömmlich

*Korrekte fachliche Zubereitung*  *0 – 10 Punkte*
Richtige Grundzubereitung, der heutigen Diätetik entsprechend

*Anrichten/Servieren*             *0 – 10 Punkte*
Sauberes und exaktes Anrichten, keine künstlichen Garnituren und zeitraubende Anrichteweise; fachlich richtige Anordnung

*Gesamtzahl der möglichen Punkte =*   *40 Punkte*

## Kategorie – D/1 und D/2

### Kochartistik
Schaustücke – Tafelaufsätze – Dekorationsstücke

Eine Beteiligung setzt voraus, daß in der Kategorie A/B/C oder D ebenfalls eine Beteiligung vorliegt.

Folgende Materialien können Verwendung finden:
D/1 – Kalte Küche
   Gemüse, Salz, Butter, Teig, Obst, Eis, Fett, Gewürze
D/2 – Patisserie
   Zucker (verschiedene Techniken), Gebäck, Kuchen, Mandelpaste, Nugat, Marzipan, Schokolade, Kakaofarben, Fruchtgummi

*Schwierigkeitsgrad*              *0 – 10 Punkte*
Die Schwierigkeit der Herstellung wird gemessen an der persönlichen Kunstfertigkeit, dem Zeitaufwand und dem ideellen Einsatz

*Materialbeherrschung*            *0 – 10 Punkte*
Fachgerechte Verarbeitung des Materials

*Künstlerische Gestaltung*        *0 – 10 Punkte*
Der Gesamteindruck sollte nach den Grundsätzen der Ästhetik Begeisterung hervorrufen

*Kreativität*                     *0 – 10 Punkte*
Hierbei kommt es darauf an, mit kulinarischem Material eigene Ideen in origineller Weise zu entwickeln und zu verwirklichen; die Neuartigkeit sollte spontan zu erkennen sein

*Gesamtzahl der möglichen Punkte =*   *40 Punkte*

## Kategorie – R

– Restaurant der Nationen
– 130 × Warme Vorspeise; Fisch, Krustentiere oder Geflügel mit Beilage als Tellerservice
– 130 × Hauptgang; Schlachtfleisch oder Wild mit Beilagen als Tellerservice
– 130 × Dessert; Tellerservice

*Mise en place und Sauberkeit*    *0 – 10 Punkte*
Bereitstellung der Materialien, um ein reibungsloses Arbeiten während des Service zu erreichen; zeitgerechte Arbeitseinteilung und pünktliche Fertigstellung; saubere, ordentliche Arbeitsweise während des Wettbewerbs

*Korrekte fachliche Zubereitung*  *0 – 30 Punkte*
Richtige Grundzubereitung, der heutigen modernen Kochkunst und Ernährungslehre entsprechend

*Anrichteart und Präsentation*    *0 – 10 Punkte*
Sauberes und exaktes Anrichten, keine gekünstelten Garnituren und zeitraubende Anrichteweise; vorbildliche Anordnung für ein appetitliches Aussehen

*Geschmack*                       *0 – 30 Punkte*
Der typische Eigengeschmack der Lebensmittel soll erhalten bleiben; das Gericht soll den typischen Geschmack bei ausreichender Würzung aufweisen, ebenso soll durch eine entsprechende Zusammenstellung der Lebensmittel ein besonderes Geschmackserlebnis hervorgerufen werden

*Gesamtzahl der möglichen Punkte
pro Menügang =*                   *80 Punkte*

29 Nationalteams mit ihren Menüs
29 national teams and their menus
29 équipes nationales et leurs menus

# Nationalteam Australien

*Von links nach rechts:*

Quentin Underhill
Karen Lewis Underhill
Rick Stephen (Teamchef)
Graham Manvell
Max Chong
Brendan Hill

| | | |
|---|---|---|
| Lachs Aquatas | Salmon aquatas | Saumon Aquatas |
| Jumbo-Wachtel und Büffel „Cooinda" | "Cooinda" jumbo quail and buffalo | Caille géante et buffle «cooinda» |
| Quark und Quandong-Pudding „Karoonda" | "Karoonda" curd and Quandong pudding | Fromage blanc et pouding Quandong «Karoonda» |

*Von links nach rechts:*

Xi Yan Huang
Yue Ming Liu
Rang Ming Lin
Ge Hui Pan
Zhe Hua Huang (Teamchef)
Shen Zhi Liang

Gebratene Garnelen
mit Tomatensauce

Schmorentenschenkel mit
getrockneten Mandarinenschalen

Weißdornkuchen und Banane,
mit zerstoßenen Lotoskernen
zubereitet

Fried prawns with tomato sauce

Braised leg of duck
with dried mandarin peel

Hawthorn cake and banana made
with ground lotus kernels

Crevettes grillées en sauce tomate

Cuisse de canard braisée au zeste
de mandarine

Gâteau à l'aubépine et banane aux
graines de lotus concassées

# Nationalteam ČSFR

*Von links nach rechts:*

Milan Burda
Rudolf Pribyl
Jiři Albl
Ladislav Nodl (Teamchef)
František Buchal
Jaroslav Řešátko

Zander in Krevettensauce
Junge Ente mit Ingwer
Kartoffelknödel
Tomatensalat mit Dill
Apfel auf altböhmische Art

Pike-perch with shrimp sauce
Young duck with ginger, potato
dumplings, tomato salad with dill
Old-bohemian style apple

Sandre en sauce aux crevettes
Caneton au gingembre, boulettes
de pommes de terre
salade de tomates à l'aneth
Pommes à l'ancienne Bohême

**29**

*Von links nach rechts:*

Lars Wollesen
Jack Nielsen
Claus Praestegaard (Teamchef)
Jan Haals
Heinz Käfer
Carsten Bech

| | | |
|---|---|---|
| Roulade vom Dornhai und Lachs in Nori-Blättern | Dogfish and salmon roulade in nori leaves | Roulade d'aiguillat et saumon en feuilles de nori |
| Gefülltes Kalbsfilet | Stuffed fillet of veal | Filet de veau farci |
| Geräuchertes mit Safranravioli | Smoked cuts with saffron ravioli | Fumé avec ravioli au safran |
| Schokoladenmousse mit Orangenlikör | Chocolate mousse with orange liqueur | Mousse au chocolat avec liqueur d'orange |

# Nationalteam Deutschland

Von links nach rechts:

Frank Widmann
Harry Ulrich
August Kottmann (Teamchef)
Reinhard Füssel
Wolfgang Scherr
Joachim Göhner

*Olympia-Bronzemedaille in der Kategorie R*

| | | |
|---|---|---|
| Seezungenfächer in der Krebsnase | Fans of sole in a crayfish nose | Eventail de sole en écrevisses |
| Safransauce | saffron sauce | sauce au safran |
| Lauchgemüse, gefüllte Kartoffel | leeks, stuffed potatoes | poireau, pomme de terre farcie |
| Schurwälder Rehnuß | Noisette of venison "Schurwald" | Noix de chevreuil de Schurwald |
| Schlehensauce | sloe sauce, garden | sauce aux prunelles |
| Marktgemüse | vegetables, dumpling gratin | légumes du marché |
| Knödelauflauf | Autumn apple dessert | gratin de knödel (sorte de boulettes) |
| Herbstliches Apfeldessert | | Dessert automnal aux pommes |

*Von links nach rechts:*

Jouni Kanninen
Harri Lindstedt
Juha Niemiö (Teamchef)
Tarja Sillander
Harri Peltonen
Pentti Painivaara

| | | |
|---|---|---|
| Lachs mit Krebssauce | Salmon with crayfish sauce | Saumon avec sauce aux écrevisses |
| Gefülltes wildes Rentierfilet | Stuffed fillet of proud reindeer | Filet de renne farci |
| Mousse aus weißer Schokolade und Rhabarber-Minz-Kompott | White chocolate mousse and rhubarb and mint compote | Mousse au chocolat blanc et compote de rhubarbe à la menthe |

# Nationalteam Großbritannien

*Von links nach rechts:*

Kevin Viner
Keith Mitchell (Teamchef)
Brian Jones
Paul Dunstane
Michael Kitts

| | | |
|---|---|---|
| Kensington Hühnchen „Royale" | "Royale" Kensington chicken | Poulet Kensington à la «Royale» |
| Gekochtes Rindfleisch „Charterhouse" | "Charterhouse" braised beef | Bœuf «Charterhouse» |
| Brot-und-Butter-Auflauf „Victoria" | "Victoria" bread and butter pudding | Gratin au pain et au beurre «Victoria» |

*Von links nach rechts:*

Gert Maes
Peter Timmons
Brendan O'Neill (Teamchef)
John Kelly
Dermot Geraghty
Derek Mc Loughlin

| Torte von geräuchertem Hähnchen und Fisch „Inishmoir" | "Inishmoir" smoked chicken and fish flan | Tourte de poulet fumé et de poisson «Inishmoir» |
| Rinderfilet „Yeats Country" | "Yeats Country" fillet of beef | Filet de bœuf «Yeats Country» |
| Soufflé „Rose of Tralee" | "Rose of Tralee" soufflé | Soufflé «Rose of Tralee» |

# Nationalteam Island

*Von links nach rechts:*

Ulfar Finnbjörnsson
Bjarki Hilmarsson
Örn Gardarsson (Teamchef)
Baldur Öxdal
Asgeir H. Erlingsson
François L. Fons

| | | |
|---|---|---|
| Gedünstetes Fischbäckchen | Steamed fish cheeks | Joues de poissons à l'étuvée |
| Weißkohl mit Koriander | Coriander cabbage | Chou blanc à la coriandre |
| Zitronenmariniertes Gebirgslamm | Mountain lamb in a lemon marinade | Agneau de montagne mariné au citron |
| Heidelbeer-Joghurt-Mousse | Bilberry yoghurt mousse | Mousse de yogourt aux myrtilles |

*Von links nach rechts:*

Meir Reiss
Shalom Kadosh (Teamchef)
Eli Fadida
Shimon Biton
Roni Fredy Mordechai
Sagi Ben Or

| | | |
|---|---|---|
| Forelle „Dan River" | "Dan River" trout | Truite «Dan River» |
| Gefüllter Mullard „Heiliges Land" | "Holy Land" stuffed mullard | Mulard farci «Terre Sainte» |
| Schokoladenmousse aus weißer und dunkler Schokolade | Mousse of white and plain chocolate | Mousse au chocolat blanc et noir |

# Nationalteam Italien

*Von links nach rechts:*

Rossano Boscolo
Giorgio Nardelli (Teamchef)
Helmut Bachmann
Fabio Tacchella
Alfredo Peloni
Enzo Dellea

| | | |
|---|---|---|
| Kartoffelgnocchi mit vegetarischem Ragout | Potato gnocchi with vegetarian ragout | Gnocchi de pommes de terre avec ragoût végétarien |
| Perlhuhnbrust im Wirsingmantel Reiskroketten | Breast of guinea fowl wrapped in savoy cabbage rice croquettes | Suprême de pintade en chou de Milan croquettes de riz |
| Gefüllte Tomaten mit Auberginen | stuffed tomatoes with aubergines | tomates farcies aux aubergines |
| Tiramisu nach venezianischer Art mit Zabaione-Sauce | Venetian tiramisu with zabaglione sauce | Tiramisu à la vénitienne avec sauce au sabayon |

*Von links nach rechts:*

Kenji Kobayashi
Ichiro Nagasawa
Tomonori Niitsu
Fumio Uno (Teamchef)
Hiroaki Naganuma
Koji Emoto

| | | |
|---|---|---|
| „Landkarte" des Ostmeeres | "Map" of the Eastern Sea | «Carte» de la mer de l'est |
| Rindfleisch „Gyudon" | "Gyudon" beef | Bœuf «Gyudon» |
| Schokolade „Kabuki" | "Kabuki" chocolate | Chocolat «Kabuki» |

# Nationalteam Kanada

*Von links nach rechts:*

Clayton Folkers
Yoshi Chubachi
Fred Zimmermann (Teamchef)
Ernst Dorfler
Brian Plunkett
Simon Smotkowicz

*Olympiasieger der Köche IKA 1992
Olympiasieger in den Kategorien A und B*

| | | |
|---|---|---|
| Marinierter Lachs im Pfannkuchen | Marinated salmon pancake | Saumon mariné en crêpe |
| Apfelholzgeräucherter Fasan Sauce von schwarzen Johannisbeeren Kartoffellasagne | Pheasant smoked over apple wood blackcurrant sauce potato lasagne | Faisan fumé au bois de pommier sauce aux cassis lasagnes de pommes de terre |
| Krokant von wildem Reis mit eingelegten Sauerkirschen und Rhabarberbutter | Wild rice brittle with macerated black cherries and rhubarb-flavoured butter | Pralin de riz sauvage avec griottes macérées et beurre de rhubarbe |

*Von links nach rechts:*

Patrick Kops
Ronald Streumer
Carlo Sauber (Teamchef)
André Flammang
Alain Pfeiffer
Henri Schumacher

Gefüllte Seezungenfilets mit
Eierschaumsauce, Kräuter-Gnocchi

Lammrückenfilet mit Blattspinat
Roquefort-Creme-Sauce
Frisches Gemüse
Gefüllte Kartoffel mit Pilzen

Kaffeeschaum-Eiercreme
mit frischer Sahne

Stuffed fillets of sole with whipped
egg sauce, herb gnocchi

Filleted saddle of lamb with
spinach, roquefort cream sauce
fresh vegetables
stuffed potato with mushrooms

Coffee-flavoured egg custard
with fresh cream

Filets de sole farcis avec sauce
mousseuse aux œufs, gnocchi aux
fines herbes; filet de selle d'agneau
avec épinards en branches, sauce à
la crème et au roquefort, légumes
frais, pommes de terre farcies aux
champignons; entremets mousseux
au café avec crème fraîche

# Nationalteam Niederlande

*Von links nach rechts:*

Harry Moerenburg
Sjaak Jobse
Wynand Vogel (Teamchef)
Jeroen Goossens
Karl Trompert
Hadi Djajapermana

| | | |
|---|---|---|
| Pilze mit geräuchertem Aal und frischer Kräutersauce | Mushrooms with smoked eel and fresh herb sauce | Champignons avec anguille fumée et sauce aux fines herbes fraîches |
| Tournedos von Kaninchen und Hasenfilets | Tournedos of rabbit and fillets of hare | Tournedos de lapin et filets de lièvre |
| Schokoladenkuchen mit Himbeersauce | Chocolate cake with raspberry sauce | Gâteau au chocolat avec coulis de framboises |

*Von links nach rechts:*

Li, Chang Hwan
Kim, Won Sam
Ko, Jong Nam
Li, Chol Su
Kim, Won Do
Kim, Yong Sop (Teamchef)

| Lobster mit Rogensauce | Lobster with coral sauce | Homard avec sauce aux œufs de poisson |
| Eintopf mit Ochsenrippe | Ox-rib stew | Côte de bœuf en potée |
| Kürbis-Rührkuchen | Pumpkin sponge | Gâteau au potiron |

# Nationalteam Norwegen

*Von links nach rechts:*

Odd Ivar Solvold
Bent Stiansen
Harald Osa (Teamchef)
Lars Erik Underthun
Hans Robert Brunn
Lars Barmen

*Olympia-Silbermedaille in den Kategorien C und R*

Lachs und Heilbutt in Romaine-salat, Buttersauce auf Äpfeln

Rentierfilet in Mandelkartoffeln Portweincreme mit Kantarellen Birne mit Preiselbeeren

Bayrische Creme von schwarzen Johannisbeeren mit Apfelsinen und Minze

Salmon and halibut with romaine salad, tart apples with butter sauce

Fillet of reindeer with almond potatoes
port wine cream with chantarelles pear with cranberries

Blackcurrant bavarois
with oranges and mint

Saumon, turbot et salade romaine sauce beurre sur pommes acidulées

Filet de renne avec pommes de terre aux amandes, crème au porto avec des chanterelles, poire aux airelles

Bavarois au cassis
avec oranges et menthe

*Von links nach rechts:*

Gerold Scheucher
Josef Fingerlos
Wilfried Sock (Teamchef)
Franz Huick
Alexander Forbes

Warme Saiblingterrine mit Zander und Räucherlachs
Limettensauce mit Ketakaviar und Melisse, Schwarzwurzel-Staudensellerie-Gemüse

Filet vom Milchkalb im Netz und Milchkalbsrückenmedaillon
Ragout von Kalbsbries mit Pilzen Kaiserpudding u. Fenchelgemüse

Gratinierte Topfnockerln mit Waldbeeren auf Marillensauce und Kamilleneisparfait

Hot terrine of char with pike-perch and smoked salmon, lime sauce with red caviar and garden balm salsify and celery

Fillet of spring veal in a caul and medallion of spring veal, calf's sweetbread and mushroom ragout, emperor's pudding and fennel

Gratinated curd gnocchi with fruits of the forest on apricot sauce and camomile parfait

Terrine chaude d'omble avec de la sandre et du saumon fumé sauce à la limette avec du caviar de Keta et de la mélisse, salsifis et céleri en branches; filet d'agneau de lait en crépine et médaillon de veau de lait, ragoût de ris de veau aux champignons, pouding impérial et fenouil Gnocchi gratinés avec fruits des bois sur sauce aux amarelles et parfait glacé à la camomille

# Nationalteam Polen

*Von links nach rechts:*

Rafat Jankowski
Maciej Zawal
Leszek Hampel (Teamchef)
Roman Konieczny
Dariusz Bartkowiak
Ryszard Kedziora

| Karpfenfilet in polnischer Sauce | Fillet of carp in polonaise sauce | Filet de carpe en sauce polonaise |
| Kalbsroulade „Posen" | Poznán veal roulade | Paupiette de veau de Poznan |
| Feinschmeckerdessert | Gourmet dessert | Dessert du gourmet |

*Von links nach rechts:*

Raymond Zaragoza
Fausto Luigi Airoldi (Teamchef)
Rui Filipe Mourão
Adelaide Fonseca
Pedro Lopes
Abilio Pereira da Silva

Stockfisch in geschmelzten
Tomatenwürfeln

Milchlammkoteletts auf einer
Timbale von Blattspinat
und feinem Maisbrot

Halbgefrorenes aus Ziegenfrisch-
käse mit Kürbissauce

Stockfish in diced tomatoes
sautéed in lard

Cutlets of spring lamb on a timbale
of leaf spinach and fine cornmeal
bread

Sorbet of fresh goat's cheese
and pumpkin sauce

Morue à la fondue
de dés de tomates

Côtelettes d'agneau de lait sur
timbale d'épinards en branches
et pain fin de maïs

Semi-glacé de fromage frais
de chèvre avec sauce au potiron

# Nationalteam Rumänien

*Von links nach rechts:*

Gabriela Liliana Istoc
Teodor Stoleru
Lenuta Popa
Adriana Stoleru (Teamchef)
Catrina Rebegea

| | | |
|---|---|---|
| Gekochte Brust, Fleischkroketten | Braised breast of pork | Poitrine cuite, croquettes de viande |
| Pastetchen mit Käse, Würstchen | meat rissoles | petits pâtés au fromage |
| Filet vom Schwein „Magurean" | cheese vol-au-vents, sausages | petites saucisses |
| Tomaten, gefüllt mit Pilzen | "Magurean" pork fillet | Filet de porc «Magurean» |
| Geschmorte Banane | tomatoes stuffed with mushrooms | tomates farcies aux champignons |
| Bauernkartoffeln | fried banana, farmhouse potatoes | banane braisée, pommes de terre |
| Gekochte Käseklößchen | Boiled cheese quenelles | à la paysanne |
| mit Weichselsirup | with mahaleb cherry syrup | Boulettes cuites de fromage |
| | | avec sirop aux merises |

*Von links nach rechts:*

Dimitri Novikov
Christian Luthi
Charles Munro
Franz von Eichenauer (Teamchef)
Elena Jakimova
Wolfgang Jetschgo

| | | |
|---|---|---|
| Pochiertes Lachsforellenfilet „Sibirsky Osjora" | "Sibirsky Osjora" poached fillet of salmon trout | Filet de truite saumonée «Sibirsky Osjora» |
| Gefüllte Hühnerbrust „Rinotschnaya" in Kartoffelbrotkruste | "Rinotschnaya" stuffed chicken breast in a potato crust | Suprême de poule farci «Rinotschnaya» en croûte de pommes de terre |
| Rote-Bete-Creme „Po-Babuschkinomu Rezeptu" | "Po-Babuschkinomu Rezeptu" beetroot cream | Crème aux betteraves rouges «Po-Babuschkinomu Rezeptu» |
| Zitronen-Käse-Füllung | lemon and cheese filling | garniture de fromage au citron |
| Wodka-Orangensauce | vodka and orange sauce | sauce orange à la wodka |

# Nationalteam Schweden

*Von links nach rechts:*

Frederik Eriksson
Hakan Thörnström
Gert Klötzke (Teamchef)
Peter Striegnitz
Torsten Pettersson
Kurt Weid

| | | |
|---|---|---|
| Mit Schalentieren gefüllte Steinbuttrolle, Krebsbouillon | Turbot roulade with a shellfish filling, crayfish bouillon | Roulade de turbot farcie aux crustacés, bouillon d'écrevisses |
| Rentierrücken mit Fasanenragout und Kartoffel-Apfel-Terrine | Saddle of reindeer with pheasant ragout and potato and apple terrine | Selle de renne avec ragoût de faisan et terrine de pommes de terre et de pommes |
| Birnenbrioche mit Kardamomparfait | Pear brioche with cardamom parfait | Brioche à la poire avec parfait au cardamome |

*Von links nach rechts:*

Rolf Boechi
Alessandro Haab
Hans Zaech (Teamchef)
Felix Hardegger
Othmar Fuerling
Urs Regli

*Olympiasieger in der Kategorie C*
*Olympia-Bronzemedaille in der Kategorie B*

| | | |
|---|---|---|
| Rotbarschterrine mit Hummer<br>Leichtes Mango-Coulis mit Curry<br>Gemischte Nudeln<br>mit Gemüsestreifen | Terrine of rosefish with lobster<br>light mango coulis with curry<br>mixed pasta with julienne<br>vegetables | Terrine de sébaste au homard<br>Léger coulis de mangue au curry<br>assortiment de pâtes<br>avec légumes en julienne |
| Gebratenes Gemsrückenfilet mit<br>Steinpilzen, Wildsauce mit schwar-<br>zem Holunder, Gemüse des Mark-<br>tes, gebackene Kartoffelkrusteln | Filleted saddle of chamois roast<br>with ceps, game sauce with black<br>elderberries, market vegetables<br>shredded and fried | Filet rôti de selle de chamois aux<br>cèpes, sauce gibier au sureau noir<br>Légumes du marché<br>Croustilles de pommes de terre |
| Birnenparfait vom Herbstmarkt | crusty potatoes<br>Pear parfait | Parfait aux poires<br>du marché d'automne |

# Nationalteam Singapur

*Von links nach rechts:*

Martin Awyong
Tony Khoo
Jack Awyong (Teamchef)
Jeremy Phoon
Kenny Kong
Cassian Tan

*Olympia-Silbermedaille in den Kategorien A und B*
*Olympia-Bronzemedaille in der Kategorie C*

Otah vom Seebarsch und Sesam-
tofu, Mango, Tomaten
und Zitronengras-Relish

Zweierlei von der Pekingwildente
Keulen in fünf Gewürzsaucen
Brust in Tientsin-Kohl, Yam-Reis

Kokosnußparfait Samosa, Schoko-
laden-Quenelle und Zitrussalat

Otah of sea bass and sesame tofu
mango, tomatoes
and lemon grass relish

Duo of Peking wild duck, legs in
five spicy sauces, breast in Tientsin
cabbage, Yam rice

Coconut parfait samosa, chocolate
quenelle and citrus fruit salad

Otah de bar et tofu au sésame,
mangue, tomates et arôme
de citronnelle

Canard sauvage à la pékinoise de
deux manières, cuisses à la sauce
aux cinq épices magret au chou de
tientsin Riz yam

Parfait à la noix de coco Samosa
Quenelle de chocolat
et salade d'agrumes

**51**

*Von links nach rechts:*

Jonathen Kershaw
Ralf Petrowski
Garth Stroebel (Teamchef)
George Bopape
Paul Hartmann
Glynn Sinclair

*Olympiasieger in der Kategorie R*
*Olympia-Bronzemedaille in der Kategorie A*

Gefüllter Langustenschwanz
„Kay Malay"

Impala-Medaillon mit einer Wild-
schweinwurst und Portweinsauce

Gebackener Elginapfel mit
gefrorenem Schokoladenparfait

"Kay Malay" stuffed crawfish tail

Medallion of impala with wild boar
sausage and port wine sauce

Baked Elgin apple
with frozen chocolate parfait

Queue de langouste farcie
«Kay Malay»

Médaillon d'impala avec une
saucisse de sanglier et une sauce
au porto

Pomme d'Elgin cuite au four
avec parfait glacé au chocolat

# Nationalteam Südkorea

*Von links nach rechts:*

Choi Won Ki
Kim Han Soo
Lee Song Jung (Teamchef)
Chung Pil Gook
Shin Seung Chul
Oh Young Sub

In Walnußvinaigrette marinierte
Lachsfilets

Rinderfilet mit Kartoffelkruste
Spinat und Pilzduxelles

Himbeercharlotte
mit Grand Marnier

Fillets of salmon marinated
in walnut vinaigrette

Fillet of beef in a potato crust with
spinach and mushroom duxelles

Raspberry charlotte
with Grand Marnier

Filets de saumon marinés
à la vinaigrette aux noix

Filet de bœuf en croûte de pommes
de terre, épinards et duxelles de
champignons

Charlotte à la framboise
et au Grand Marnier

*Von links nach rechts:*

Andras Kutasi
Rudolf Matyas
István Lukács (Teamchef)
György Laszlo
Ilona Nesztovidizs
Ferenc Kandik

| | | |
|---|---|---|
| Kalte Gänseleber in Tokajer-Gelee Apfelsalat mit Sellerie | Cold goose liver in Tokay jelly apple and celery salad | Foie d'oie froid en gelée de tokay salade de pommes a céleri |
| Rehfilet mit Wacholder in Orangen-Preiselbeer-Sauce, Steinpilze, Brokkoli mit Butter, Kartoffelkroketten mit Mandelsplittern | Fillet of venison with juniper berries in orange and cranberry sauce, ceps, buttered broccoli, potato croquettes with chopped almonds | Filet de chevreuil au genièvre en sauce d'airelles aux oranges, cèpes, brocoli au beurre, croquettes de pommes de terre aux amandes concassées |
| Kaiseraprikosenpudding | Emperor's apricot pudding | Pouding royal aux abricots |

# Nationalteam USA

*Von links nach rechts:*

Keith Keogh
Lawrence Mc Fadden
Keith A. Coughenour (Teamchef)
Martha Crawford
Michael Russell
Franz Popperl

Prélude von geräucherter Forelle „Appalachian" mit Wildgemüse

Harmonie vom Kaninchen und Gemüse

Finale aus Berghimbeerencreme

Prélude of smoked Appalachian trout with wild vegetables

Harmony of rabbit and vegetables

Finale of mountain raspberry cream

Prélude de truite fumée des Appalaches aux légumes sauvages

Harmonie de lapin et de légumes

Finale de crème de framboises des montagnes

# Medaillen- und Bewertungsspiegel der 29 IKA-Nationalmannschaften

| Land | Kategorie A | Kategorie B | Kategorie C | Kategorie R |
|---|---|---|---|---|
| Australien | Silber (99,71) | Bronze (89,57) | Silber (104,00) | Gold (218,57) |
| China | Diplom (75,71) | Diplom (70,57) | Bronze (86,00) | Diplom (136,00) |
| ČSFR | Diplom (68,85) | Diplom (65,71) | Diplom (72,80) | Diplom (140,85) |
| Dänemark | Diplom (79,14) | Diplom (80,00) | Bronze (91,40) | Silber (206,28) |
| Deutschland | Silber (105,86) | Silber (102,57) | Gold (111,00) | Gold (218,85) |
| Finnland | Diplom (73,71) | Diplom (66,14) | Diplom (60,20) | Silber (183,28) |
| Großbritannien | Bronze (88,57) | Bronze (87,00) | Bronze (86,80) | Silber (200,14) |
| Irland | Bronze (86,85) | Bronze (88,14) | Diplom (75,00) | Silber (208,57) |
| Island | Diplom (74,42) | Diplom (74,85) | Diplom (79,60) | Bronze (190,57) |
| Israel | Diplom (70,57) | Diplom (69,85) | Diplom (72,80) | Bronze (187,42) |
| Italien | Silber (96,71) | Silber (97,28) | Bronze (84,60) | Silber (207,42) |
| Japan | Bronze (90,57) | Bronze (87,28) | Gold (109,20) | Silber (212,85) |
| Kanada | Gold (113,14) | Gold (111,86) | Gold (110,00) | Silber (213,42) |
| Luxemburg | Bronze (84,14) | Diplom (77,85) | Diplom (70,20) | Bronze (189,14) |
| Niederlande | Silber (96,00) | Bronze (89,57) | Silber (96,00) | Gold (216,14) |
| Nordkorea | Diplom (73,43) | Diplom (68,71) | Diplom (70,40) | Diplom (163,71) |
| Norwegen | Bronze (89,43) | Bronze (90,57) | Gold (118,40) | Gold (226,00) |
| Österreich | Silber (101,28) | Silber (100,28) | Silber (96,00) | Silber (206,42) |
| Polen | Diplom (73,86) | Diplom (72,57) | Diplom (65,80) | Diplom (141,71) |
| Portugal | Diplom (68,57) | Diplom (68,14) | Diplom (52,00) | Bronze (180,42) |
| Rumänien | Diplom (55,57) | Diplom (53,86) | Diplom (48,20) | Diplom (116,00) |
| Rußland | Diplom (72,28) | Diplom (74,43) | Diplom (68,40) | Bronze (183,71) |
| Schweden | Bronze (92,43) | Bronze (89,29) | Silber (96,60) | Silber (212,85) |
| Schweiz | Gold (108,14) | Gold (108,00) | Gold (119,00) | Silber (212,71) |
| Singapur | Gold (110,57) | Gold (109,00) | Gold (112,60) | Silber (205,14) |
| Südafrika | Silber (108,57) | Silber (104,57) | Bronze (89,80) | Gold (230,28) |
| Südkorea | Bronze (84,42) | Diplom (78,70) | Silber (96,40) | Silber (194,43) |
| Ungarn | Bronze (86,43) | Bronze (84,57) | Bronze (84,80) | Bronze (182,00) |
| USA | Gold (108,00) | Silber (104,57) | Silber (102,00) | Silber (209,70) |

# Wettbewerb
# der Jugendnationalmannschaften

**AUSTRALIEN**                    Kleeblatt in Gold (244,33 Punkte)

Teamchef: Davin Chan
Team:
Philip Edwards, Bradley Jenkins, Jason King, Gina Spezza

*„Barrier Reef" Barbecue*
*Grüne Kräutersauce*
*Herbstgemüse*
*von der „Yarra-Yarra"-Gegend*
*Kumara chips*

**ČSFR**                    Kleeblatt in Bronze (160,66 Punkte)

Teamchef: Jakub Ulrich
Team:
Marek Raditsch, Pavel Peterka, Ladislav Dousa

*Prager Kalbsschlegel*
*Serviettenknödel*

**DEUTSCHLAND**                    Kleeblatt in Gold (274 Punkte)

Teamchef: Andreas Müller
Team:
Detlef Gerner, Dagmar Sink, Frank Sammet, Alexander Munz

*Feines vom Alblamm*
*mit Bohnen und Pfifferlingen*
*Maisgrießtorte*

GROSSBRITANNIEN            Kleeblatt in Silber (217,66 Punkte)

Teamchef: J. Bayes
Team:
Thomas Aikens, J. Kilby,
A. P. Owen, Brice Drabble

*Gebratenes Steinbuttfilet
auf Spaghetti-Wurzel-Gemüse
mit Rogen der Jakobsmuschel
Ravioli auf Senf-Safransauce*

IRLAND            Kleeblatt in Silber (213,66 Punkte)

Teamchef: Sean Mc Bride
Team:
Tina Walsh, Jim Dunne, Shiela Sharp,
Ben Blaunt

*Kalbfleisch mit Pilzen
Gemüserolle
Lebermus*

KANADA            Kleeblatt in Silber (224,83 Punkte)

Teamchef: Cameron Tait
Team:
Greg Bates, Tom Hewertson, Tanya Yelinek

*Gefüllte Hühnerbrüstchen
„Manitoba"*

LUXEMBURG            Kleeblatt in Bronze (184,66 Punkte)

Teamchef: Fabrice Kreutz
Team:
Stephan Chaumont, Serge Hemmer,
Jean-Luc Rind

*Poulardenbrüstchen „Florentine"
Gefüllte Eierfrüchte
Kartoffel Surprise*

**59**

NORWEGEN                    Kleeblatt in Gold (229,66 Punkte)

Teamchef: Freddy Solbakk
Team:
Lars Petter Flatoy, Juul Petter Sletten, Stina Langdal

*Lammrippenstück mit
buttergeschlagener Lammbrühe
Sautiertes Gemüse
Kartoffelpilze*

ÖSTERREICH                 Kleeblatt in Gold (230,33 Punkte)

Teamchef: Evelyn Zandl
Team:
Mathias Felder, Peter Mayr, Martin Leuprecht, Marco Neoner

*Rosa gebratener Rücken
vom Tiroler Berglamm
mit Thymiannaturjus
Zucchini-Paprika-Gemüse
Erdäpfelravioli*

SCHWEIZ                     Kleeblatt in Gold (239,66 Punkte)

Teamchef: Bruno Brüsch
Team:
Linda Jeker, Alex Locher, Mirjam Moor, Brigitte Löliger

*Gefüllte Poularde
mit Sesam-Sahnesauce
Reis-Triologie
Gedünstetes Gurken-Romanesco-
Pfifferling-Gemüse*

USA                        Kleeblatt in Gold (239,5 Punkte)

Teamchef: Patrick Colley
Team:
Wiley Bates, Martin Firestone, Douglas Faber

*Gegrillter Salm „Oregon"
mit Maiskolben und Pilzen
Kartoffelkuchen*

**60**

# Das Konzept der Wettbewerbsküche

„Austragungsort" sämtlicher Wettbewerbe im Bereich der warmen Küche waren Küchenlösungen von PALUX, dem Alleinausstatter und einzigen Sponsor für Küchentechnik im Warm-Kochbereich.

Mit 10 kompletten Profi-Küchen – maßgeschneiderten Gesamtkonzepten für höchste Ansprüche – hat PALUX den besten Köchen der Welt beste Arbeitsbedingungen geboten.

Zum ersten Mal in der Geschichte der Olympiade der Köche hat somit ein und derselbe Hersteller das küchentechnische Equipment zur Verfügung gestellt.

Aufgrund dieses idealen Ausstattungskonzeptes „aus einer Hand" fanden sämtliche teilnehmenden Köche identische, dem hochkarätigen Anlaß voll entsprechende Wettbewerbsbedingungen der Spitzenklasse vor.

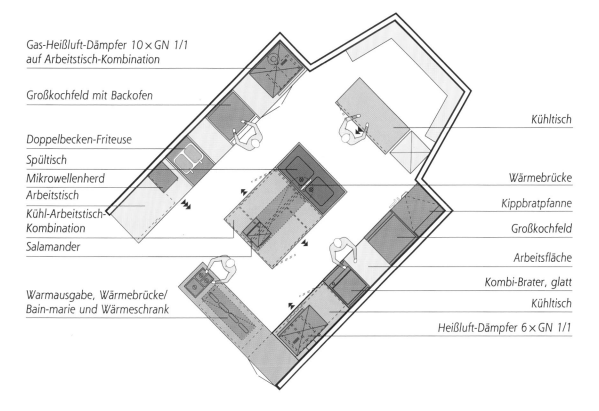

Gas-Heißluft-Dämpfer 10 × GN 1/1 auf Arbeitstisch-Kombination

Großkochfeld mit Backofen

Doppelbecken-Friteuse

Spültisch

Mikrowellenherd

Arbeitstisch

Kühl-Arbeitstisch-Kombination

Salamander

Warmausgabe, Wärmebrücke/Bain-marie und Wärmeschrank

Kühltisch

Wärmebrücke

Kippbratpfanne

Großkochfeld

Arbeitsfläche

Kombi-Brater, glatt

Kühltisch

Heißluft-Dämpfer 6 × GN 1/1

*Einrichtungsbeispiel einer Wettbewerbsküche für das internationale Restaurant*

Die 10 Komplett-Küchenlösungen wurden auf die individuellen Anforderungen der verschiedenen Teams und Einsatzbereiche zugeschnitten: Modernste Großküchentechnik von der Einzelkomponente bis zum PALUX Gas-Heißluft-Dämpfer wurde in funktionalen Küchen zusammengefaßt.

Insbesondere wurde berücksichtigt, daß die Küche sehr viel Präsentationsfläche benötigt, um die kritische Jury „vis à vis" von ihrem Können zu überzeugen. Der Mittelblock wurde daher nicht wie sonst üblich vornehmlich mit Kochgeräten bestückt, die hier primär in Wandaufstellung den einzelnen Posten zugeordnet wurden, sondern als Anrichtetisch mit Wärmebrücke konzipiert.

Dennoch fehlte es an nichts: Das technische Equipement erlaubte Kochen „ohne Grenzen" – im doppelten Sinne des Wortes!

Ein technischer Schwerpunkt lag neben konventioneller Gerätetechnik im Einsatz von PALUX-Heißluft-Dämpfern, die aufgrund ihrer Garmethodenvielfalt und ihrer Leistungsfähigkeit zahllose Möglichkeiten für kreatives Arbeiten eröffnen.

Vorspeisen und kalte festliche Platten
Hors-d'œuvres and cold festive platters
Hors-d'œuvre et plats de fête froids

**Hasenplatte.** Gepökelte Hasenkeule mit Pfefferkruste; gebratene Hasenlende mit Zitrone, Salbei und Knoblauch; getrüffelte Hasenleberpastete; Kräutermousse auf Süßkartoffeln; marinierte Paprikastreifen; Gemüsegarnituren.

**Hare platter.** Pickled leg of hare with pepper crust; roast leg of hare with lemon, sage and garlic; truffled hare liver pâté; sweet potatoes with herb mousse; marinated strips of sweet peppers; vegetable garnishes.

**Plat de lièvre.** Cuisse salée de lièvre en croûte de poivre; filet de lièvre rôti au citron, à la sauge et à l'ail; pâte de foie de lièvre truffé; mousse aux fines herbes sur patates douces; julienne de poivrons marinés; garniture de légumes.

**Symphonie von Salm.** Lachs, gefüllt mit Jakobsmuschelmousse; Terrine von Tomaten mit grünem Spargel; Charlotte von Langostinos; Hippenmuschel mit tourniertem Gemüse.

**Salmon symphony.** Salmon stuffed with scallop mousse; terrine of tomatoes with green asparagus; Norway lobster charlotte; almond wafer shell with fancy cut vegetables.

**Symphonie de saumon.** Saumon farci à la mousse de coquilles Saint-Jacques; terrine de tomates aux asperges vertes; charlotte de langoustines; coquillage en pâte à huile avec des légumes tournés.

**Dialog von Luft und Wasser.** Sülze von Salm und Seeteufel mit Karotten und Lauch; Taubenterrine mit Geflügelfarce und Trüffel; Entenbrustscheiben; Apfel mit Trockenfrüchten und Körbchen aus braunem Reis mit Safransauce.

**Dialogue of air and water.** Chaud-froid of salmon and monkfish with carrots and leeks; pigeon terrine with poultry forcemeat and truffles; sliced breast of duck; apple with dried fruits and baskets of brown rice with saffron sauce.

**Dialogue d'air et d'eau.** Aspic de saumon et de lotte avec carottes et poireau; terrine de pigeon à la farce de volaille et aux truffes; emincé de magret de canard; pomme aux fruits secs et petite corbeille de riz brun avec sauce au safran.

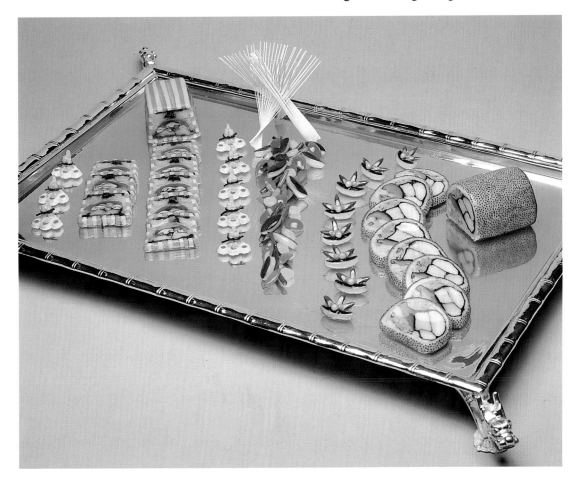

**Festliche Büfettplatte „Der Geist Asiens".** Gemüseterrine mit Artischocken, Shii-takepilzen, roten Pfefferschoten, Trüffel, Glasnudeln, Karotten und Sellerie; Terrine von Jakobs- und Pfahlmuscheln mit Trüffel, Shiitakepilzen und Weißfisch; Hummer-schaum mit Spargelspitzen und marinierte bunte Gemüse.

**Festive buffet platter "The spirit of Asia".** Vegetable terrine with artichokes, Shii-take mushrooms, red hot peppers, truffles, transparent noodles, carrots and cele-riac; scallop and mussel terrine with truffles, Shiitake mushrooms and whitefish; lobster mousse with asparagus tips and marinated macédoine of vegetables.

**Buffet de fête «l'âme de l'Asie».** Terrine de légumes aux artichauts, aux champi-gnons shiitake, aux piments rouges, aux truffes, aux vermicelles chinois, aux carot-tes et au céleri; terrine de coquilles Saint-Jacques et de moules aux truffes, champi-gnons shiitake et au poisson blanc; mousse de homard aux pointes d'asperges et légumes multicolores marinés.

**Köstlichkeiten aus dem Tal.** Putenbrust, mit Farce und getrockneten Aprikosen gefüllt; Rinderlende mit Pistazien im Pastetenteig; Salat von Bohnenkernen, grünem Spargel, Pilzen und Kürbis; Trockenaprikose mit Marone und roter Johannisbeere.

**Valley delights.** Turkey breast with forcemeat and dried apricots; loin of beef with pistachios in a pie crust; salad of bean kernels, green asparagus, mushrooms and pumpkin; dried apricot with chestnut and redcurrant.

**Délices de la vallée.** Suprême de dinde avec farce et abricots secs; filet de bœuf aux pistaches en croûte; salade de haricots en grains, d'asperges vertes, de champignons et de potiron; abricots secs avec châtaignes et groseilles rouges.

**Festliche Platte „Erlesenes aus Wild und Geflügel".** Gefüllte Wachtelkeule mit Lebermousse auf Kürbis; Roulade aus Poularde und Ente mit Pistazienmousse; Hirschkalbsrücken, aufgesetzt; Rehterrine mit Trüffel, Morcheln und Wildfarce; marinierte Pilze und pochierte Birne mit Himbeere.

**Festive platter "Game and poultry savouries".** Stuffed quails' legs with liver mousse on pumpkin; chicken and duck roulade with pistachio mousse; saddle of young venison; terrine of venison with truffles, morels and game forcemeat; marinated mushrooms and poached pear with raspberry.

**Plat de fête «délices de gibier et de volaille».** Cuisse de caille farcie à la mousse de foie sur potiron; ballottine de poularde et de canard à la mousse de pistache; selle de brocard; terrine de chevreuil aux truffes, aux morilles et à la farce de gibier; champignons marinés et poires pochées aux framboises.

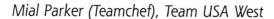
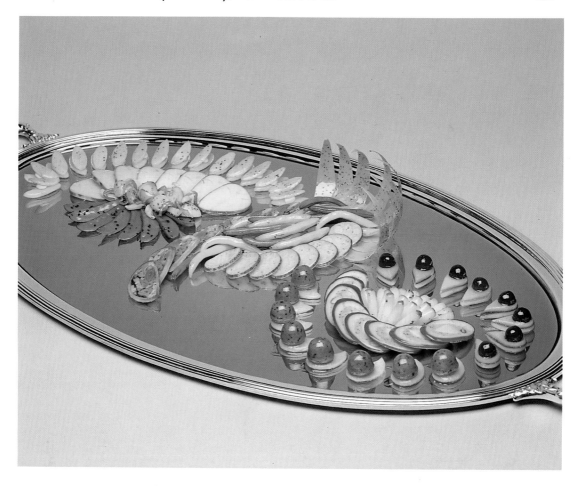

**Variationen vom Fasan.** Geräucherte Fasanenbrust mit mariniertem Kürbis; Terrine von Leber und Herz mit Bohnensalat; Wurst von Fasanenhals und Lotoswurzeln; mit Pistazien gefüllte Fasanenbrust; Fasanenleberpüree mit Kräutern auf Sellerieboden.

**Pheasant variations.** Smoked breast of pheasant with marinated pumpkin; terrine of liver and heart with bean salad; neck of pheasant sausage and lotus roots; pheasant breast with pistachio stuffing; pheasant liver and herb purée on celeriac.

**Arrangements variés de faisan.** Suprême de faisan fumé avec potiron mariné; terrine de foie et de cœur avec haricots en salade; saucisson de cou de faisan et de racines de lotus; suprême de faisan farci aux pistaches; purée de foie de faisan aux fines herbes sur socles de céleri.

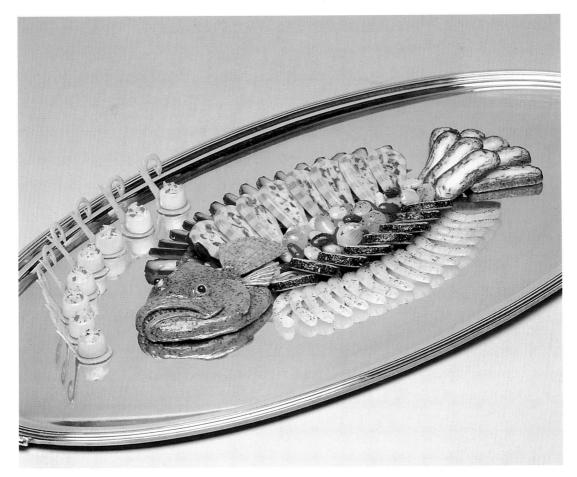

**Festliche Variationen vom Steinbutt.** Geräuchertes Steinbuttfilet; Steinbutt mit jungem Grün im Pfeffermantel; Seeschnecken mit Steinbuttmousse in Kürbis und Möhren; Steinbuttroulade mit Dill; marinierte Gurken und bunte Bohnen mit Perlzwiebeln.

**Turbot delights.** Smoked fillet of turbot; turbot with young green vegetables in a pepper coating; sea snails and turbot mousse with pumpkin and carrots; turbot roulade with dill; gherkins and mixed beans with pearl onions.

**Variations de fête sur le thème du turbot.** Filet de turbot fumé; turbot à la verdure en croustille de poivre; escargots de mer à la mousse de turbot en potiron et en carottes; roulade de turbot à l'aneth; cornichons marinés et haricots multicolores aux petits oignons.

**Südaustralische Fischspezialitäten.** Muschelmousseline mit Pernod; geräucherter Butterfisch; gebeizter Lachs mit Meerforellen, Weißfisch mit Garnelencreme; Salat von Gurken, Chicorée, Zuckerschoten und grünen Spargelspitzen.

**South Australian fish specialities.** Shellfish mousseline with Pernod; smoked butterfish; pickled salmon with sea trout; whitefish with prawn cream; salad of cucumber, chicory, mangetouts and green asparagus tips.

**Spécialités sud-australiennes de poissons.** Mousseline de coquillages au Pernod; poisson fumé; saumon mariné et truite marine; poisson blanc à la crème de crevettes; salade de concombre, d'endives, de petits pois mange-tout et de pointes d'asperges vertes.

**Fischvariationen aus dem Aischgrund.** Lachsforellenterrine; Aischgrunder Spiegelkarpfensülze; Roulade mit Kräuterfarce und Lachsforelleneinlage; Karottensockel mit Wachtelei; Zucchinikörbchen mit Perlgemüse; Tomate mit Paprika-Frischkäse.

**Fish variations from Aischgrund.** Salmon trout terrine; Aischgrund mirror carp in aspic; roulade with herb forcemeat and salmon trout filling; carrot base with quail's egg; courgette baskets with vegetable balls; tomato with paprika fromage frais.

**Arrangement de poissons de l'Aisch.** Terrine de truite saumonnée; aspic de carpe-miroir de l'Aisch; roulade de farce aux fines herbes et de morceaux de truite saumonnée; socle de carotte avec œuf de caille; petite corbeille en courgette avec perles de légumes; tomate avec fromage frais au paprika.

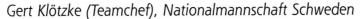
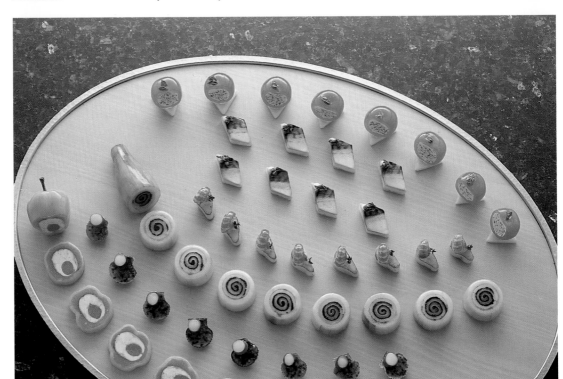

**Spezialitäten der Baltischen See.** Tomate mit buntem Frischkäse; marinierte Makrele; Lachsmedaillons; Rotzungenfilets in der Gurke; Jakobsmuschel mit Paprikagemüse; Rotbarbe mit Lachskaviar in gelber Paprika.

**Baltic Specialities.** Tomato with savoury fromage frais; marinated mackerel; salmon medallions; fillet of witch in cucumber; scallops and mixed peppers; red mullet with salmon caviar and yellow peppers.

**Spécialités de la mer baltique.** Tomate au fromage frais multicolore; maquereaux marinés; médaillons de saumon; filets de sole rouge en concombre; coquilles Saint-Jacques aux poivrons; barbue rouge aux œufs de saumon en poivron jaune.

**Truthahnplatte.** Putenkeule, mit Nüssen und Pistazien gefüllt; gefüllte Puten-brust; Pilzsalat, grüne und weiße Spargelspitzen, Maispfannkuchen mit Süßkartof-felmousse.

**Turkey platter.** Turkey leg stuffed with nuts and pistachios; stuffed turkey breast; mushroom salad, green and white asparagus tips, corn pancake with sweet potato mousse.

**Plat de dinde.** Cuisse de dinde farcie aux noix et aux pistaches, suprême de dinde farci, salade de champignons, pointes d'asperges vertes et blanches, crêpe de maïs à la mousse de patates douces.

**Festliche Salmplatte „Chinook".** Pochierter Salm; mit Dill gebeizter Salm; Filet und Mousse vom Rauchlachs mit Trüffel; mit Ingwer marinierte grüne Spargelspitzen; Salat von tournierten Gurken; Dekorstücke aus gewürztem Vollkornteig.

**Festive salmon platter "Chinook".** Poached salmon; salmon pickled with dill, fillet and mousse of smoked salmon with truffles; green asparagus tips marinated with ginger; salad of fancy cut cucumbers; garnishes of savoury wholemeal pastry.

**Saumon «Chinook» en présentation de fête.** Saumon poché; saumon mariné à l'aneth; filet et mousse de saumon fumé aux truffes; pointes d'asperges vertes assaisonnées au gingembre; salade de concombres tournés; pièces de décoration en pâte à la farine complète épicée.

**Festliche Truthahnplatte „umatilla basin".** Geräucherte Truthahnbrust; Hals mit Farce und Pilzen gefüllt; gefüllter Flügel mit Kräutern auf Waldpilzen; Wurst von der Keule auf Staudenselleriesalat; eingelegter Kürbis und Trockenfrüchte; Dekor aus Salat und rotem Chicorée.

**Festive turkey platter "umatilla basin".** Smoked turkey breast; neck stuffed with forcemeat and mushrooms; wing with herb stuffing and wild mushrooms; sausage of turkey leg on celery salad; pickled pumpkin and dried fruit; garnish of salad and red chicory.

**Dinde en présentation de fête «umatilla basin».** Poitrine de dinde fumée; cou garni de champignons et de farce; aile farcie de fines herbes sur champignons des bois; cuisse en saucisson sur salade de céleri en branches; potiron macéré et fruits secs; décoration de salade et d'endive rouge.

**Vorspeisen aus British Columbia.** Roulade von Lachs und Hummer; Muschelsalat mit Tomaten; getrüffelte Garnelenwurst; bunte Entensülze; gefüllter Tintenfisch; Hochrippe vom Junghirsch; Poulardenbrust mit Steinpilzchampignons und Kirsche.

**Hors-d'œuvres from British Columbia.** Salmon and lobster roulade; shellfish and tomato salad; truffled prawn sausage; chaud-froid of duck; stuffed squid; venison rib roast; chicken breast with ceps and cherry.

**Hors-d'œuvre de la Colombie britannique.** Roulade de saumon et de homard; salade de moules avec des tomates; saucisse de crevettes truffée; aspic multicolore de canard; encornet farci; côte de jeune cerf; suprême de poularde aux cèpes et aux cerises.

**Parfait von Perlhuhn „Okhotnik".** Perlhuhnparfait in Kranzform; Baumtomaten mit Maiskölbchen und Gurkenfächer; Sülze mit verschiedenen Nüssen und Äpfeln; Sauce von Preiselbeeren.

**"Okhotnik" parfait of guinea-fowl.** Guinea-fowl parfait ring; tamarillos with baby sweet corn and gherkin fans; chaud-froid of nuts and apples; cranberry sauce.

**Parfait de pintade «Okhotnik».** Parfait de pintade en turban; tamarillos avec petits épis de maïs et éventails de cornichons; aspic de noix variées et de pommes; sauce aux airelles.

*Keith Mitchell (Teamchef), Nationalmannschaft Großbritannien*

**Meeresfrüchte nach herbstlicher Art.** Terrine von Seeteufel mit Trüffeln und Hummerscheren; geräucherter Mallot mit kleinen grünen Chilis; Lachs mit Steinbuttmousse im Lauchmantel; Salat von grünen und gelben Bohnen mit Sprossen.

**Autumn seafood.** Monkfish terrine with truffles and lobster claws; smoked mallot with small green chilis; salmon with turbot mousse in a leek coating; salad of green and yellow beans with beansprouts.

**Composition automnale de fruits de mer.** Terrine de lotte avec truffes et pinces de homard; mallot fumé aux petits piments verts; saumon à la mousse de turbot en habit de poireau; salade de haricots verts et jaunes avec germes.

**Symphonie von Meeresfrüchten.** Pochiertes Salmfilet mit Mousse von Jakobsmuscheln mit Shiitakepilzen in Spinat und Schweinenetz; Hummerrolle mit Corail und Dill; Meeresfrüchte in Aspik; marinierter grüner und weißer Spargel.

**Seafood symphony.** Poached fillet of salmon with scallop mousse and shiitake mushrooms in spinach and pig's caul; lobster roll with coral and dill; seafood in aspic; marinated green and white asparagus.

**Symphonie de fruits de mer.** Filet de saumon poché avec une mousse de coquilles Saint-Jacques et des champignons shiitake, en épinards et en crépine; rouleau de homard avec corail et aneth; fruits de mer en aspic; asperges vertes et blanches marinées.

**Vorspeisen-Festival.** Wilde Pilze in Pfannkuchen; Garnelen mit Kräutermousse; Poulardenmousse und Kräuterpilze; Törtchen mit geräuchertem Mais; Terrine von Krebsen und Pfifferlingen, in Safrancreme und gebeizten Lachs gewickelt; Galantine von Poularde und Ente; Riesengarnele in Jakobsmuschel- und Paprikaschotenmus mit Spinat.

**Hors-d'œuvres festival.** Wild mushroom pancake; prawns with herb mousse; chicken mousse and herb mushrooms; smoked sweet corn tartlets; terrine of crayfish and chanterelles wrapped in saffron cream and pickled salmon; galantine of chicken and duck; king prawn with scallop and puréed peppers with spinach.

**Festival de hors-d'œuvre.** Champignons sauvages en crêpe; bouquets à la mousse de fines herbes; mousse de poularde et champignons aux fines herbes; tartelettes au maïs fumé; roulé de terrine d'écrevisses et de girolles dans une crème au safran et du saumon mariné; galantine de poularde et de canard; crevette royale en coquille Saint-Jacques et purée de poivrons aux épinards.

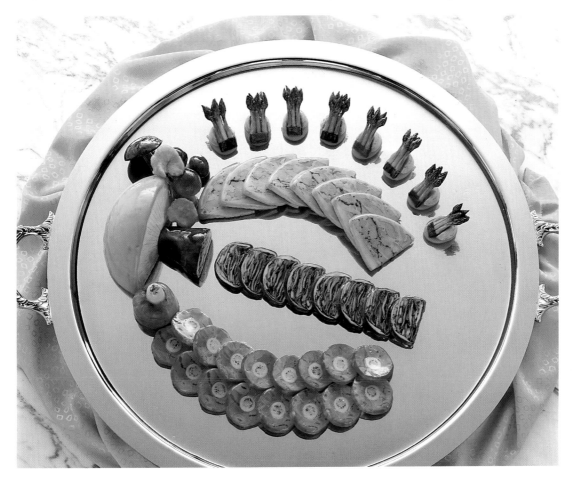

**Komposition von Lamm, Fasan und Pilzen.** Mit Staudensellerie und Kräutern ge-füllte Lammhaxen; Sülze von Waldpilzen; Terrine von Fasanenbrust mit Trüffel und Entenleber; marinierte grüne Spargelspitzen auf Karottenscheiben mit Kräuter-mousse.

**Composition of lamb, pheasant and mushrooms.** Knuckle of lamb with celery and herb stuffing; wild mushrooms in aspic; terrine of pheasant breast with truffles and duck liver; marinated green asparagus tips on carrot slices and herb mousse.

**Arrangement d'agneau, de faisan et de champignons.** Jarret d'agneau farci au céleri en branches et aux fines herbes; aspic de champignons des bois; terrine de poitrine de faisan aux truffes et au foie de canard; pointes d'asperges vertes assai-sonnées sur rondelles de carottes avec mousse de fines herbes.

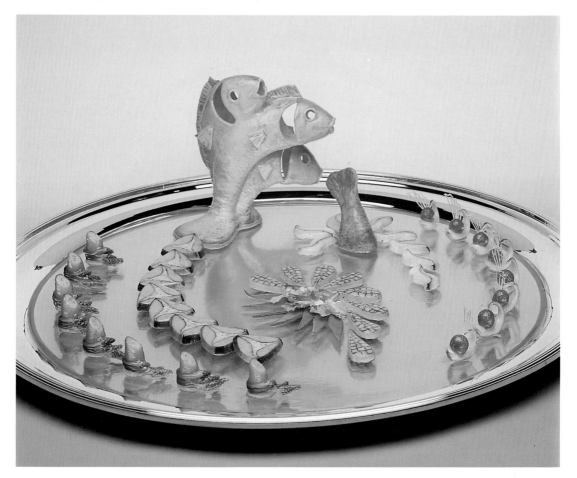

**Köstlichkeiten aus dem Bodensee.** Angeräucherte Saiblingsterrine; gekräuterte Lachsforelle und Egli; Zander in Safran; Trüschenlebertrüffel; gebeizte Lachsforelle mit Spargelmus.

**Delicacies from Lake Constance.** Terrine of lightly smoked char; salmon trout with herbs and Lake Constance trout; pike-perch with saffron; burbot liver truffle; pickled salmon trout with asparagus mousse.

**Délices du lac de Constance.** Terrine d'omble fumé; truite saumonnée aux fines herbes et poisson blanc; sandre au safran; truffe de foie de lotte; truite saumonné marinée avec purée d'asperges.

**Schwingender bunter Drache.** Mit Garnelen, Eiern, Tintenfisch, Schweineleber, Quallen, Schweinefleisch, Hühnerfleisch, Gelbem von eingesalzenen Eiern, Gurken, Möhren, Purpurtang, Rindfleisch, Krabben, Dünnbohnenquarkrollen, Gemüsesaft und Schinken zubereitet.

**Flattering bright dragon.** Made with prawns, eggs, squid, pig's liver, jellyfish, pork, chicken, brine-pickled egg yolk, gherkins, carrots, purple seaweed, beef, shrimps, bean curd rolls, vegetable juice and ham.

**Un dragon multicolore danse.** Préparé avec des bouquets, des œufs, de la seiche, du foie de porc, de la méduse, de la viande de porc, de la chair de poule, du jaune d'œufs salés, des cornichons, des carottes, des algues purpurtang, de la viande de bœuf, des crevettes, des rouleaux de fromage blanc aux haricots verts, du jus de légumes et du jambon.

**Mosaik von australischen Terrinen.** Rehfilet mit Fasan und Kürbiskernen in Brioche; japanisches Gemüseomelette; Terrine von gerösteten Petersilienwurzeln und verschiedenen Nüssen und Pilzen im Salatmantel.

**Mosaic of Australian terrines.** Fillet of venison with pheasant and pumpkin seeds in a brioche; Japanese vegetable omelette; terrine of roast parsley roots with mixed nuts and mushrooms in a salad casing.

**Mosaïque de terrines australiennes.** Filet de chevreuil avec faisan et graines de courge en brioche; omelette japonaise aux légumes; terrine de racines de persil grillées, de noix et de champignons variés en chemise de salade.

**Spielender Goldfisch.** Mittelstück aus Lachs, Königskrabben, Krebsfleisch und Seidenmuscheln, Flossen und Schwanz aus gesulztem Mango- und Papayamark.

**Goldfish at play.** Salmon steak, king prawns, crab and mussels; fins and tails of jellied mango and pawpaw purée.

**Poisson rouge au jeu.** Centre en saumon, en crevettes royales, en chair de crabe et en coquillages; nageoires et queue en aspic de pulpe de mangue et de papaye.

**Tasmanische Spezialitäten aus dem Meer.** Lachsroulade mit schwarzen Nüssen und Jakobsmuscheln; kleine Garfischröllchen; Meeresfrüchteterrine; leichter Salat von eingelegten Gurken; Teigmuschel mit Krabbenscheren.

**Tasmanian specialities from the sea.** Roulade of salmon with black nuts and scallops; garfish paupiettes; seafood terrine; light salad of pickled gherkins; pastry shell with crab claws.

**Spécialités marines de Tasmanie.** Roulade de saumon aux noix noires et aux coquilles Saint-Jacques; rondins de petits poissons cuits; terrine de fruits de mer; salade légère de cornichons; coquillage en pâte avec pinces de crabes.

**Tasmanische Spezialitäten.** Sülze von Lachsfilet mit Garnelen und Kräutern; Roulade von Forellen, Barsch und Morcheln; Hummer mit Trüffel und Safranfarce in Chinakohl; Sellerieboden mit Kräutermeerrettich, Räucherlachs und Keta-Kaviar.

**Tasmanian specialities.** Chaud-froid of salmon fillet with prawns and herbs; trout, perch and morel roulade; lobster with truffle and saffron stuffing in Chinese leaves; celeriac with seasoned horseradish, smoked salmon and red caviar.

**Spécialités de Tasmanie.** Aspic de filet de saumon et de crevettes aux fines herbes; roulade de truite, de perche et de morilles; homard avec farce aux truffes et au safran en feuille de chou chinois; fonds de céleri avec raifort aux fines herbes, saumon fumé et caviar Keta.

**Geräuchertes Kalbsfilet „Père Marquette".** Geräuchertes Kalbsfilet; Staudensellerie, mit Edelpilzkäse und Nüssen gefüllt; Zunge, Kalbfleischwürfel und Äpfel in Gelee; Salat von Knollensellerie und Karotten mit Ahornsirup; tournierte Rübchen und Maiskrustade mit Nußkonfit.

**Smoked filled of veal "Père Marquette".** Smoked fillet of veal; celery with blue-veined cheese and nut filling; chaud-froid of tongue, diced veal and apples; celeriac and carrot salad with maple syrup dressing; fancy turnips and corn croustade with nut preserve.

**Filet de veau fumé «Père Marquette».** Filet de veau fumé; céleri en branches farci au bleu et aux noix; langue, dés de chair de veau et pommes en gelée; céleri-rave en salade et carottes au sirop d'érable; petits navets tournés et croustade de maïs au confit de noix.

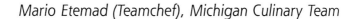

**Bauernplatte.** Geräucherter Schweinerücken; Schweinelende mit Pfefferschoten-mousse; Truthahnbrust, mit Zunge, Spinat und Karotten gefüllt; Timbale von gerösteten Tomaten und Fenchel; marinierte grüne Tomaten mit Gurken und Perlzwiebeln; Krustade mit pikantem Früchtemark.

**Farmhouse platter.** Smoked pork chine; pork loin with pepper pod mousse; turkey breast with tongue, spinach and carrot stuffing; timbale of roast tomatoes and fennel; marinated green tomatoes with gherkins and pearl onions; piquant fruit purée en croustade.

**Plat paysan.** Longe de porc fumé; filet de porc à la mousse de piment; suprême de dinde farci à la langue, aux épinards et aux carottes; timbale de tomates et de fenouil grillés; tomates vertes marinées avec des cornichons et des petits oignons; croustade avec pulpe piquante de fruits.

**Exquisite Vorspeisen.** Terrine von Lachsfilet, Kräutermousse, Shiitakepilzen und Rauchlachs; Lammfilets mit Kräutern im Pfannkuchen; Hummertorte; Wachtelkeulen mit Heidelbeeren; Entenleberpastete mit Trüffel; Fetakäse mit Paprikamark und Birnengarnitur.

**Exquisite hors-d'œuvres.** Terrine of salmon fillet, herb mousse, shiitake mushrooms and smoked salmon; lamb fillet and herb pancakes; lobster flan; quails' legs with bilberries; duck liver pâté with truffles, feta cheese with puréed peppers and pear garnish.

**Hors-d'œurvre choisis.** Filet de saumon, mousse aux fines herbes, champignons shiitake et saumon fumé en terrine; filet d'agneau aux fines herbes en crêpe; tourte au homard; cuisses de caille aux myrtilles; pâté de foie de canard truffé; feta avec purée de poivron et poire en garniture.

**Kanadische Lachsforelle mit Hummer.** Hummersülze; Terrine von Lachsforelle und Hummer mit Dillfarce; gepfeffertes Lachsforellenfilet in der Haut; marinierter grüner Spargel, Salat von Hummer und Bohnen im Teigkorb und Kräutersauce mit Tomaten.

**Canadian salmon trout with lobster.** Lobster chaud-froid; terrine of salmon trout and lobster with dill forcemeat; peppered salmon trout fillet in its skin; marinated green asparagus, lobster and bean salad in a pastry basket and herb sauce with tomatoes.

**Truite saumonnée canadienne et homard.** Aspic de homard; terrine de truite saumonnée et de homard avec une farce à l'aneth; filet de truite saumonnée au poivre dans sa peau; asperges vertes assaisonnées, salade de homard et de haricots en corbeille de pâte et sauce aux fines herbes avec tomates.

**Platte mit Meeresfrüchten „Nordwest".** Geräuchertes Lachsfilet; Langusten-schwanz mit Kräutern im Strudelteig; Galantine von Lachs und Seezunge; Sülze von Meeresfrüchten im Brioche; gepfefferte Kräcker mit gebeiztem Lachs; marinierte, gegrillte Paprikaschoten und Sellerieboden mit Tomate und Dillcreme.

**"North-west" seafood platter.** Smoked salmon fillet; crawfish tail and herbs in strudel pastry; galantine of salmon and sole; seafood chaud-froid in a brioche; pep-pered crackers with pickled salmon; marinaded, grilled peppers and celeriac with tomato and dill cream.

**Plateau de fruits de mer «nord-ouest».** Filet de saumon fumé; queue de lan-gouste aux fines herbes en pâte à strudel; galantine de saumon et de sole; aspic de fruits de mer en brioche; cracker poivré au saumon mariné; poivron grillé, mariné et fond de céleri avec tomate et crème à l'aneth.

**Der Geist der Prärie.** Filet vom Bären mit rotem Paprika in Kräutergelee; Brust vom wilden Truthahn, mit Nüssen gefüllt, und Keule, mit Pilzen gefüllt; Hirschfilet im Teig; Maisfladenkörbchen mit mariniertem Gemüse, tournierte Apfelspalten und Aprikose mit Lebermus und Preiselbeere.

**The spirit of the prairie.** Fillet of bear with red pepper in herb jelly; wild turkey breast with nuts and leg stuffed with mushrooms; fillet of venison en croûte; baskets of flat maize cakes with marinated vegetables, fancy cut apples and apricot with liver mousse and cranberry.

**L'esprit de la prairie.** Filet d'ours au poivron rouge en gelée de fines herbes; suprême de dinde sauvage aux noix et cuisse farcie de champignons; filet de cerf en croûte; petite corbeille en galette de maïs garnie de légumes marinés, quartiers de pommes tournés et abricots à la purée de foie et à l'airelle.

**Trio vom Stör.** Geräucherter Stör; Tropfen von Störfilet, mit Safranfarce und Lauch ummantelt; Störwurst; Salat von jungem Gemüse; gelbe Tomate mit Meerrettich-creme und Brandteigornament.

**Sturgeon trio.** Smoked sturgeon; bouchées of sturgeon fillet coated with saffron forcemeat and leek; sturgeon sausage; salad of young vegetables, yellow tomato with creamed horseradish and choux pastry ornament.

**Trio d'esturgeons.** Esturgeon fumé; filet d'esturgeon présenté sous forme de gouttes, avec farce au safran et en chemise de poireau; saucisson d'esturgeon; lé-gumes primeur en salade, tomate jaune à la crème de raifort et décoration en pâte à choux.

**Büfettplatte „Queensland".** Sülze von Lachsfilet und Muscheln in Rauchlachshülle; Filet von der Meeresforelle mit Farce vom Blauaugen-Fisch, Safran und Kräutern mit Zucchinischeiben; Timbale von Wildpilzen und rotem Paprika; Salat von Garnelen, Bohnen, Tomaten und grünen Spargelspitzen im Strudelkorb.

**"Queensland" buffet platter.** Chaud-froid of salmon fillet and shellfish in a smoked salmon case; fillet of sea trout stuffed with blue-eyed fish, saffron and herbs with sliced courgettes; wild mushroom and red pepper timbale; salad of prawns, beans, tomatoes and green asparagus tips in a basket of strudel pastry.

**Buffet «Queensland».** Aspic de filet de saumon et de coquillages en chausson de saumon fumé; filet de truite marine farci au poisson «yeux bleus», au safran et aux fines herbes avec des rondelles de courgettes; timbale de champignons sauvages et de poivron rouge; salade de crevettes, de haricots, de tomates et de pointes d'asperges vertes en corbeille de «strudel».

**Vorspeisen von Land und See.** Lammfilet in der Kruste; Timbale von Meeresfrüchten auf Maisteigblatt; Terrine von Meerforelle und Shiitakepilzen; sautierte Schweinelende in Krustade; Melonentörtchen; Entenleberpastete; Tropfen von gebeiztem Lachs mit Frischkäse; bunter Salat.

**Entrées from land and sea.** Fillet of lamb en croûte; seafood timbale on a cornmeal pastry leaf; terrine of sea trout and shiitake mushrooms; sautéed loin of pork en croustade; melon tartlets; duck liver pâté; bouchées of pickled salmon with fromage frais; mixed salad.

**Hors-d'œuvre de la terre et de la mer.** Filet d'agneau en croûte; timbale de fruits de mer sur feuille en pâte de maïs; filet de porc sauté en croustade; tartelettes au melon; pâté de foie de canard; saumon mariné présenté sous forme de gouttes avec fromage frais; salade multicolore.

**Festliche Platte von Luft, Land und Fluß.** Galantine von Lachsforelle; Dillsulz auf Kaviar; Kaninchenpastete mit Hasenfilet; Roulade von Entenbrust im Haferflocken-mantel; herbstliche Beeren im Brandteigkörbchen; Tomate mit marinierten Gemü-seperlen.

**Festive platter of air, land and river.** Galantine of salmon trout; chaud-froid of dill on caviar; rabbit pie with fillet of hare; roulade of duck breast in a casing of rolled oats; choux pastry baskets with autumn berries, tomato with marinated vegetable balls.

**Plat de fête air, terre et rivière.** Galantine de truite saumonnée; aspic à l'aneth sur caviar; pâté de lapin au filet de lièvre; ballottine de magret de canard en croûte de flocons d'avoine; baies automnales en petite corbeille de pâte à choux; tomate aux perles de légumes assaisonnés.

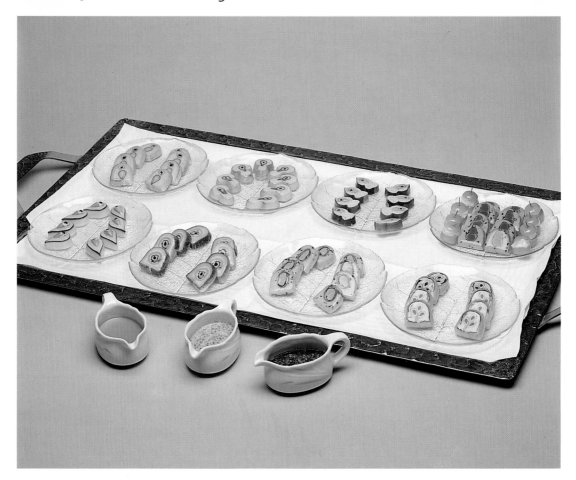

**Leckereien für den Gaumen.** Mousse von Räucherfischen in Tropfenform; Terrine von der Bachforelle; Lachsterrine mit Gemüsedekor; Hasenterrine mit Selleriesalat im Miniapfel; Zanderterrine; Salmterrine in Champignonform; Galantine von der Regenbogenforelle; Terrine vom Perlhuhn.

**Titbits for the palate.** Droplets of smoked fish mousse; terrine of brown trout; salmon terrine with vegetable garnish; hare terrine with celery salad in miniature apples; pike-perch terrine; mushroom shaped salmon terrine; galantine of rainbow trout; guinea-fowl terrine.

**Délices pour le palais.** Mousse de poissons fumés présentée sous forme de gouttes; terrine de truite de rivière; terrine de saumon avec décor de légumes; terrine de lièvre avec céleri en salade dans une pomme naine; terrine de sandre; terrine de saumon en forme de champignon; galantine de truite arc-en-ciel; terrine de pintade.

**„Blumengarten am Meer".** Garnelen mit Hummermousse in Rotweingelee; Galantine in Blütenform mit Steinbutt, Hummerschwanz, Corailmousse, Meeresalgen; Timbale mit Tintenfisch, Kräutermousse; Tuben aus Meeraal mit Safran, gelben Cocktailtomaten; Dekorstück „Hummer" aus Salzteig.

**"Seaside flower garden".** Prawns with lobster mousse in red wine jelly; flower-shaped galantine of turbot, lobster tail, coral mousse, seaweed; timbale of squid, herb mousse; conger eel tubes with saffron, yellow cocktail tomato; "lobster" garnish made of salt dough.

**«Jardin de fleurs au bord de la mer».** Crevettes à la mousse de homard en gelée de vin rouge; galantine, en forme de fleur, au turbot, à la queue de homard, à la mousse de corail et aux algues de mer; timbale de calmar, de mousse de fines herbes; tubes de congre au safran, tomates naines jaunes; «homard» décoratif en pâte à sel.

**Edelfisch-Buch.** Formterrine aus Steinbuttfarce mit Trüffeln und Lachskern; See-teufelsülze; Seezungenrolle im Zucchinimantel; gefüllte Wachteleier; marinierte Meeresfrüchte mit Gemüsen als Garnitur.

**Book of fish delights.** Moulded terrine of turbot forcemeat with truffles and salmon centre; monkfish in aspic; sole paupiettes in a courgette casing; stuffed quails' eggs; marinated seafood with vegetable garnish.

**Livre en poissons nobles.** Terrine moulée réalisée avec une farce de turbot aux truffes et du saumon; aspic de lotte; roulade de sole en chemise de courgettes; œufs de caille farcis; fruits de mer marinés avec des légumes en garniture.

**Tropische Fischplatte.** Gefüllter Squid mit Bohnen, schwarzem Moos und Senfkörnern; Turmeric Cuttlefish mit Ginkgo-Nüssen und Frischwasser-Spinat; gepökelter Cuttlefish mit Garnelen und Jakobsmuscheln; Gelee von jungem Oktopus mit Char-Siu-Gewürzen und Sesam; Brandteigkörbchen mit Tee-Eiern; Bittermelone mit Gemüsen.

**Tropical fish platter.** Stuffed squid with beans, black moss and mustard seeds; turmeric cuttlefish with ginkgo nuts and freshwater spinach; pickled cuttlefish with prawns and scallops; chaud-froid of baby octopus with char-siu seasoning and sesame seeds; choux pastry baskets with tea-eggs; bitter melon with vegetables.

**Arrangement tropical de fruits de mer.** Encornet farci aux haricots avec mousse noire et grains de moutarde; seiche aux noix de ginkgo et aux épinards; seiche solée aux crevettes et aux coquilles Saint-Jacques; jeune octopus en gelée avec des épices char-siu et du sésame; petite corbeille de pâte à choux avec des œufs à thé; melon amer avec des légumes.

**Variation von exquisiten Fischterrinen.** Terrine vom Flußhecht im Zucchinimantel mit Einlegekern; Terrine von der Bachforelle mit Spinatfarcedekor; Steinbutterrine, mit Gemüseeinlage und Spinat ummantelt; Riesengarnele auf Zanderroulade; Rauchlachstüten mit Sahnemeerrettich; Parfait von der Languste.

**Variations of exquisite fish terrines.** Terrine of river pike in a courgette casing with decorative centre; terrine of brown trout decorated with spinach forcemeat; turbot terrine with vegetable centre and spinach coating; king prawn on pike-perch roulade; smoked salmon cornets with creamed horseradish; crawfish parfait.

**Choix de terrines exquises de poissons.** Terrine de brochet de rivière en chemise de courgette; terrine de truite de rivière avec farce et décor d'épinards; terrine de turbot aux légumes et en chemise d'épinards; crevette géante sur roulé de sandre; cornet de saumon fumé avec du raifort à la crème; parfait de langouste.

**Büfettplatte „Hokkaido Farm".** Gefüllte Rinderlende, mit Lauch ummantelt; Poulardenterrine mit Möhrenmousse und Trüffel; Chaud-froid aus Entenbrust und Geflügelfarce mit grünem Spargel; Glasnudeln in Trüffelaspik; kleiner Apfel, mit Papayapüree gefüllt.

**"Hokkaido Farm" buffet platter.** Stuffed loin of beef coated with leeks; chicken terrine with carrot mousse and truffles; chaud-froid of duck breast and poultry forcemeat with green asparagus, transparent noodles in truffled aspic; small apple filled with pawpaw purée.

**Plat de buffet «Hokkaido Farm».** Filet de bœuf farci en chemise de poireau; terrine de poularde à la mousse de carotte et aux truffes; chaud-froid de magret de canard et farce de volaille aux asperges vertes; vermicelle chinois en aspic de truffes; petite pomme farcie de papaye en compote.

**Ginseng in seiner ganzen Form.** Mittelstück aus Hühnerfleisch, Eigelb und buntem Reis; Chinakohlrolle mit Gemüsen; Bohnenmasse mit Eiweiß; Gurken und Cocktailtomaten als Garnitur.

**Ginseng in its entirety.** Middle cut of chicken, egg yolk and savoury rice; roll of Chinese leaves with vegetables; bean purée with egg white, garnish of gherkins and cocktail tomatoes.

**Ginseng dans toute sa grandeur.** Centre en chair de poulet, jaune d'œuf et riz multicolore; rouleau de chou chinois aux légumes; purée de haricots avec du blanc d'œuf, cornichons et tomates cerises en garniture.

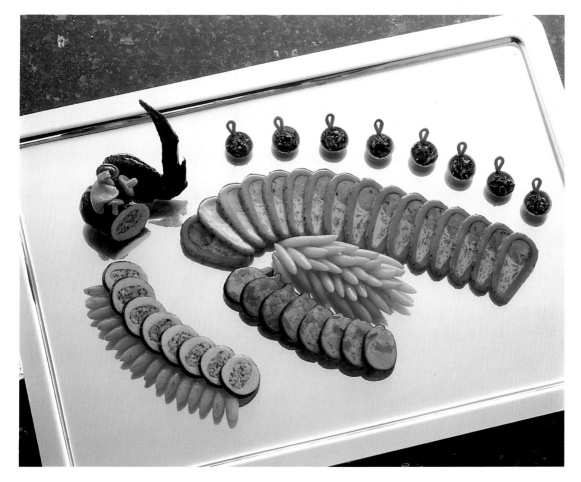

**Variation von Ente und Fasan.** Gefüllter Entenflügel; Enten- und Fasanenbrust; tournierte, marinierte Kohlrabi und Karotten; Wildreissalat im Pastetenteigkorb.

**Variation of duck and pheasant.** Stuffed duck wing; breast of duck and pheasant; marinated kohlrabi and carrot dainties; wild rice salad in a piecrust basket.

**Arrangement de canard et de faisan.** Aile de canard farci; poitrine de canard et de faisan; chou-rave assaisonné et tourné; salade de riz sauvage en corbeille de pâte à pâté.

**Vorspeisen-Variationen.** Salmfilet mit Seezungenmousseline in Lauch; Schweine-lende in Pilzhülle; Truthahnwurst; Garnele mit Algensprossen auf Fenchel; Leber-mousse mit Trompetenpilzen; Hummerterrine im Pumpernickelmantel und Enten-brust mit Kräuterkruste.

**Hors-d'œuvre variations.** Fillet of salmon with sole mousseline and leeks; loin of pork in a mushroom casing; turkey sausage; prawn with seaweed sprouts on a bed of fennel; liver mousse with craterelles; lobster terrine in a pumpernickel case and duck breast with herb coating.

**Hors-d'œuvre variés.** Filet de saumon à la mousseline de sole en poireau; filet de porc en chausson de champignons; saucisson de dinde; crevettes aux germes d'algues sur fenouil; mousse de foie aux trompettes-des-morts; terrine de hormard en croûte de pain noir et magret de canard en croustille de fines herbes.

**108**

**Geflügelauswahl „Goldener Herbst".** Fasanenbrust; gefüllter Gänsehals mit Backpflaumen; geräucherte Entenbrust und Mango; Putenbrust mit Leber und gepökelter Keule; Gemüsegarnitur; Brandteigornamente.

**"Golden autumn" poultry.** Pheasant breast; neck of goose with prune stuffing; smoked duck breast with mango; turkey breast with liver and pickled leg; vegetable garnish; choux pastry ornaments.

**Présentation de volailles «automn d'or».** Suprême de faisan; cou d'oie farci aux pruneaux; magret de canard fumé et mangue; suprême de dinde avec foie et cuisse salée; garniture de légumes; décoration en pâte à choux.

**Florida-Alligator-Platte.** Rücken, mit Rotwein mariniert und gebraten; geräucherte Lende mit Kräutern; gewürzte Sülze von der Rippe; gepökelte Zunge; Bohnensalat; Salat von Mais, Zwiebeln und Reis.

**Florida Alligator Platter.** Back marinated in red wine and roasted; smoked loin with herbs; savoury chaud-froid of rib; pickled tongue; bean salad; sweet corn, onion and rice salad.

**Arrangement d'alligator de Floride.** Dos mariné au vin rouge et rôti; filet fumé aux fines herbes; côte en aspic épicé; langue salée; haricots en salade; salade de maïs, oignons et riz.

**Kombination von Fischen und Meeresfrüchten.** Surimi-Rauchlachsrolle mit Fischgelee; Meerhechtterrine mit Spinat- und Safranfarce; Zucchetti mit Pilzen und Meeresfrüchten; Salm mit Brunnenkresse und Seeteufelfilet; Peperoni mit Meerrettich; Gurken mit Mohnquark; Salat von Brokkoli, Kürbis und Fenchel.

**Modern combination of fish and seafood.** Surimi and smoked salmon roll with fish jelly; hake terrine with saffron and spinach filling; courgettes with mushrooms and seafood; salmon with watercress and fillet of monkfish; green chilli droplets with creamed horseradish; cucumber garnish with poppyseed quark; salad of broccoli, pumpkin, fennel and shiitake mushrooms.

**Arrangement moderne de poissons et de fruits de mer.** Roulade de surimi et de saumon fumé en gelée de poisson, merluche avec farce d'épinards au safran; zuchetti aux champignons et aux fruits de mer, saumon au cresson et filet de lotte; gouttes de piment à la mousse de raifort, cornichon en garniture avec fromage blanc au pavot; salade de brocolis, potiron, fenouil et champignons shiitake.

**Sumpflandente nach „Chippewa-Art".** Entenbrust mit Pilzen im Teig; Enten-keule mit Kräutern gerollt; geräucherte Entenbrust; Birne mit Entenlebermousse; marinierter Mais und Johannisbeer-Orangen-Sauce.

**"Chippewa" marsh duck.** Duck breast with mushrooms en croûte; roll of duck leg with herbs; smoked duck breast; pear with duck liver mousse, marinated corn, and redcurrant and orange sauce.

**Canard des marais «Chippewa».** Magret de canard aux champignons en croûte; roulé de cuisse de canard aux fines herbes; magret de canard fumé; poire à la mousse de foie de canard; maïs mariné et sauce à l'orange et aux groseilles.

**Spezialitäten aus dem Meer „New Jersey".** Salmfilet, mit Mohn überkrustet; Roulade von Mönchsfisch und Salm mit Kräutermousse; Schaumbrot von Räucherlachs und Muscheln mit Trüffel; Salat von schwarzen Nudeln mit Tintenfisch und Gemüseperlen.

**"New Jersey" seafood specialities.** Salmon fillet topped with poppyseed crust; monkfish and salmon roulade with herb mousse; smoked salmon and shellfish mousse with truffles; black pasta salad with squid and vegetable balls.

**Spécialités de la mer «New Jersey».** Filet de saumon en croustille de pavot; roulé de poisson-moine et de saumon à la mousse de fines herbes; pain à la mousse de saumon fumé et de coquillages avec des truffes; salade de nouilles noires avec seiche et perles de légumes.

**Variationen süditalienischer Vorspeisen.** Cocktail von Meeresfrüchten; Seezungenroulade mit Gemüsewürfeln und roten Bohnenkernen; Gemüseterrine im Pfannkuchen; Hasenfilet mit Steinpilzen; Wachtelroulade; Muschelsülze; gefüllter Langustenschwanz; Terrine von Lachs und Seeteufel.

**Variety of hors-d'œuvre from Southern Italy.** Seafood cocktail; sole roulade with diced vegetables and kidney bean kernels; vegetable terrine in a pancake; fillet of hare with ceps; quail roulade; chaud-froid of shellfish; stuffed crawfish tail; salmon and monkfish terrine.

**Hors-d'œuvre variés du Sud de l'Italie.** Cocktail de fruits de mer; paupiette de sole avec dés de légumes et haricots rouges; terrine de légumes en crêpe; filet de lièvre aux cèpes; roulade de caille; aspic de coquillages; queue de langouste farcie; terrine de saumon et de lotte.

**Vegetarische Vorspeisen „Neue Epoche".** Kanapee mit Champignons und Tofu; Safranpfannkuchen mit Spinat, gerollt; marinierte Gemüse auf Karotten-Sellerie-Sockel; Polenta mit grünem Pfeffer; Gemüsemousse mit schwarzen Bohnen; Linsenterrine mit Käse; Champignonterrine mit Pfeffer; Gemüsetorte und drei Saucen.

**"New Era" vegetarian entrées.** Canapé with mushrooms and tofu; rolled saffron pancake with spinach; marinated vegetables on carrot and celeriac bases; polenta with green peppercorns; vegetable mousse with black beans; lentil and cheese terrine; mushroom and pepper terrine; vegetable flan with three sauces.

**Hors-d'œuvre végétariens «les temps nouveaux».** Canapé aux champignons et au tofu; roulé de crêpe au safran et d'épinards; légumes assaisonnés sur socles de carottes et de céleri; polenta au poivre vert; mousse de légumes aux haricots noirs; terrine de lentilles au fromage; terrine de champignons au poivre; tourte de légumes et trois sauces.

**Vorspeisenauswahl Florida.** Wachtelbrust, mit schwarzen Kirschen gefüllt; Torte von Pilzmousse; Taubenwurst; Wachtelkeulen, mit Pistazien gefüllt; Minikürbis mit Mais und Tomaten; Hasenfilet im Brioche; Meeraal in Pfefferkruste; Rolle von Meeresfrüchten in Spinat.

**Florida hors-d'œuvres.** Breast of quail with black cherry stuffing; mushroom mousse tart; pigeon sausage; quails' legs stuffed with pistachios; mini pumpkin with sweet corn and tomatoes; fillet of hare brioche; conger eel in a pepper crust; seafood and spinach roll.

**Hors-d'œuvres variés Florida.** Suprême de caille farci aux cerises noires; tourte de mousse de champignons; saucisson de pigeon; cuisses de cailles farcies aux pistaches; potirons nains avec maïs et tomates; filet de lièvre en brioche; congre en croûte de poivre; rondin de fruits de mer en épinards.

**Vorspeisen „Guangzhou".** Hahn mit Champignons und Pfefferschoten; Kranich mit Tintenfisch; Papagei mit bunten Dünnbohnenquarkrollen; Adler mit Shiitake-pilzen, Blumen mit Maiskölbchen; Korallen mit Gemüse und Karpfen, mit Bambus-sprossen zubereitet; mit Fischfleisch gefüllte Auberginen.

**"Guangzhou" entrées.** Cockerel with mushrooms and pepper pods; crane with squid; parrot with colourful bean curd rolls; eagle with Shiitake mushrooms; flowers with little com-cobs; coral with vegetables and carp with bamboo shoots; aubergines with fish stuffing.

**Hors-d'œuvre «Guangzhou».** Coq réalisé avec des champignons et du piment; grue avec des calmars; perroquet avec des rouleaux de fromage blance et de hari-cots verts, aigle avec des champignons Shiitake; fleurs avec du des petits épis de maïs; coraux avec des légumes et carpes avec des pousses de bambous; aubergines farcies de chair de poisson.

**Ungarische Vorspeisen.** Gefüllter Schill vom Plattensee; Hirschfilet im Kohlblatt; gefüllte Lende; Putenbrustroulade; Kalbsröllchen; Poulardenbrust mit Schinkenschaum; Rehroulade; vegetarische Schnitten, und jeweils kleine Garnituren.

**Hungarian hors-d'œuvres.** Stuffed Balaton pike-perch; fillet of venison wrapped in cabbage leaf; stuffed loin; roulade of turkey breast; veal paupiettes; chicken breast with ham mousse; venison roulade; vegetarian cuts, all with dainty garnishes.

**Hors-d'œuvre hongrois.** Sandre farcie du lac Balaton; filet de cerf en feuille de chou; filet farci; roulé de suprême de dinde; ballottine de veau; suprême de poularde à la mousse de jambon; ballottine de chevreuil; tranches végétariennes; chacune accompagnée d'une petite garniture.

**Nordische Vorspeisen.** Verschiedene Gemüsemousses im roten Pfeffer; Lachs und Hummermousse in Tintenfischgelee; gefüllte Okra in Rauchlachsschaum; Poulardenroulade mit Zunge und Trüffel; Terrine von Schneekrabben und rotem Pfeffer; Lammfilet in Mohnkruste; Timbal von Jakobsmuscheln; gefüllte Wachtelkeule und drei Saucen.

**Nordic hors-d'œuvres.** Variety of vegetable mousses in red pepper; salmon and lobster mousse in squid jelly; stuffed okra with smoked salmon mousse; chicken roulade with tongue and truffles; terrine of white crabs and red pepper; fillet of lamb in poppyseed crust; scallop timbale; stuffed quails' legs with three sauces.

**Hors-d'œuvre nordiques.** Diverses mousses de légumes au poivre rouge; mousse de saumon et de homard en gelée de calmar; okras farcis à la mousse de saumon fumé; roulade de poularde à la langue et aux truffes; terrine de crevettes au poivre rouge; filet d'agneau en croûte de graines de pavot; timbale de coquilles Saint-Jacques; cuisse de caille farcie et trois sauces.

**Erlesene Vorspeisen.** Lachsring mit Champagnersülze; Algensprossensalat; Frischkäseterrine mit Hummer; Gemüse-Petits-fours mit grüner Sauce; Süßkartoffelterrine mit Morcheln; Perlhuhnbrust mit Mango; Schinkenmousse auf Birnengelee; geräuchertes Kalbsbries im Trüffelmantel; gefüllte Rehrückenfilets; Safrancreme und Beerensauce.

**Exquisite hors-d'œuvres.** Ring of salmon with champagne chaud-froid; alga sprout salad; fromage frais and lobster terrine; vegetable petits fours with green sauce; sweet potato and morel terrine; breast of guinea fowl with mango; ham mousse with pear jelly; smoked calf's sweetbreads in a truffle crust; stuffed fillet of venison; saffron cream and berry sauce.

**Hors-d'œuvre choisis.** Turban de saumon avec aspic au Champagne; salade de pousses d'algues; terrine de fromage frais au homard; petits fours aux légumes avec une sauce verte; terrine de patates douces aux morilles; suprême de pintade à la mangue; mousse de jambon sur poire en gelée; ris de veau fumé en chemise de truffes; filets de selle de chevreuil farcis; crème au safran et sauce aux baies.

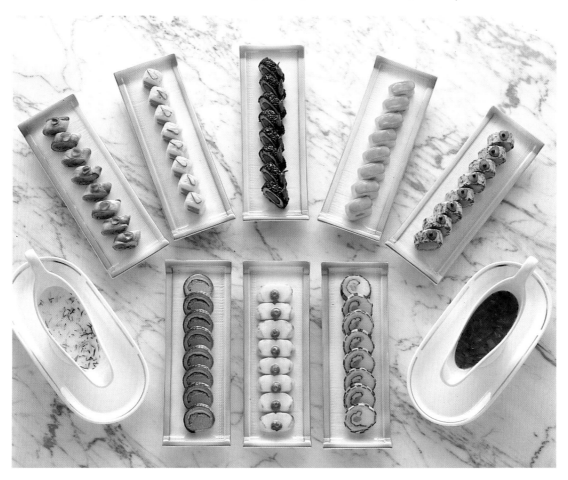

**Auswahl kanadischer Vorspeisen.** Mousse von Jakobsmuscheln mit Räucher-lachs; Hummerschwanz; junge arktische Meerforelle; gefüllter Salm; Lammfilet mit Geflügelfarce und Sesam; Heilbutt, mit Lachsfarce gefüllt, Schweinelende mit Waldpilzen; Safran-Ei mit Muschelrogen; Dill- und Tomatensauce mit Gewürzen.

**Selection of Canadian hors-d'œuvres.** Scallop mousse with smoked salmon; lob-ster tail; young Arctic sea trout; stuffed salmon; lamb fillet with poultry forcemeat and sesame; halibut with salmon stuffing; pork loin with wild mushrooms; saffron egg with shellfish caviar; dill and tomato sauce with seasoning.

**Assortiment de hors-d'œuvre canadiens.** Mousse de coquilles Saint-Jacques et de saumon fumé; queue de homard; jeune truite marine de l'Arctique; saumon farci; filet d'agneau à la farce de volaille et au sésame; flétan farci au saumon; filet de porc aux champignons des bois; œufs au safran avec oeufs de moules; sauce à la tomate et à l'aneth avec des épices.

**Golfclub-Spezialitäten.** Lamm- und Kalbsbries-Terrine mit Quitten; Ballotine vom Hasen mit Pökelzunge; Auberginenspitztüte mit mariniertem Gemüse; Bündel von grünem Spargel.

**Golf Club Specialities.** Terrine of lamb and calf sweetbreads with quince; ballotine of hare with pickled tongue; aubergine cornet with marinated vegetables and bunches of green asparagus.

**Spécialités du club de golfe.** Terrine d'agneau et de ris de veau aux coings; ballotine de lièvre à la langue salée; cornet d'aubergine garni de légumes marinés; petites bottes d'asperges vertes.

Restaurationsplatten und Menüs
Restaurant platters and menus
Plats de restauration et menus

**Restaurationsplatte „Atlanta".** Rehlende mit Kräuterkruste; Poulardenbrust, mit Kalbsbries gefüllt; Rosenkohl, Kohlrabi, Perlzwiebeln, Maispfannkuchen mit Karottenmousse, Pilz-Wildreis-Timbale und Apfelsauce.

**"Atlanta" restaurant platter.** Loin of venison with herb crust; chicken breast; stuffed with calves' sweetbreads; Brussels sprouts, kohlrabi, pearl onions, corn pancake with carrot mousse, timbale of mushroom and wild rice with apple sauce.

**Plat de restauration «Atlanta».** Filet de chevreuil en croûte de fines herbes; suprême de poularde farci au ris de veau; choux de Bruxelles, chou rave, petits oignons, crêpe de maïs à la mousse de carottes, timbale de champignons et de riz sauvage et sauce à la pomme.

**Restaurationsplatte „Howqua".** Mit Tee geräucherte Wildente, gefüllt mit Schinken, Farce und grünem Pfeffer; Reisspätzle, Bohnenquark, Kürbis, Rotkohl-köpfchen und Illawarra-Pflaumen-Sauce.

**Restaurant platter "Howqua".** Wild duck smoked with tea, stuffed with ham, forcemeat and green peppercorns; rice spätzle, bean curd, pumpkin, tiny red cabbages and Illawarra plum sauce.

**Plat de restauration «Howqua».** Canard sauvage fumé au thé et farci au jambon, à la farce et au poivre vert; pâtes fraîches de riz, fromage blanc aux haricots, potiron, petites pêtes de choux rouges et sauce aux prunes Illawarra.

**Das Beste vom Lamm.** Zunge, Bries, Niere und Rückenfilet vom Lamm mit Knoblauchjus, Bohnengemüse und Perlweizenstrudel.

**The pick of the lamb.** Tongue, sweetbreads, kidney and filleted saddle of lamb with garlic gravy, beans and pearl wheat strudel.

**Délices d'agneau.** Langue, ris, rognons et filet d'agneau avec fond à l'ail et strudel de blé perlé.

**Duo von Kaninchen.** Haus- und Wildkaninchen, Trollingersauce, Kohlgemüse und Pilzknödel.

**Rabbit duo.** Domestic and wild rabbits, Trollinger sauce, cabbage, mushroom dumplings.

**Duo de lapins.** Lapin fermier et lapin de garenne, sauce de Trollinger, diverses sortes de choux et quenelles de champignons.

*Jack Awyong (Teamchef), Nationalmannschaft Singapur*

**Mit Kampfer geräuchertes Hühnerbein.** Hühnerbein, gefüllt mit Yünanschinken und schwarzem Moos, Granatapfelsauce, Taro-Chips mit Yam und orientalische Beilagen.

**Chicken leg smoked with camphor.** Chicken leg stuffed with yunnan ham and black moss, grenadine sauce, taro chips with yam and oriental accompaniments.

**Cuisse de poule fumée au bois de camphrier.** Cuisse de poule farcie au jambon de Yunan et à la mousse noire, sauce à la grenade, taro chips avec yam et garniture orientale.

**Edles vom Schwein.** Schweinefilet, mit getrockneten Früchten und Nüssen gefüllt; Schweinerücken mit schwarzem Pfeffer; Schweineroulade; Kartoffeln, Zwiebeln und Kürbis.

**Pork delicacies.** Pork fillet stuffed with dried fruit and nuts; pork chine with black pepper; pork roulade; potatoes, onions and pumpkin.

**Le meilleur du porc.** Filet de porc farci aux fruits secs et aux noix; longe de porc au poivre noir; roulade de porc; pommes de terre, oignons et potiron.

**Feines vom Kalb.** Medaillons, Zunge und gefüllte Brust vom Kalb, Dinkelbrioche, Gemüse und Jus.

**Choice cuts of veal.** Medallions, tongue, and stuffed breast of calf, spelt brioche, vegetables, and gravy.

**Délices de veau.** Médaillons, langue et poitrine de veau farcie, brioche à l'épeautre, légumes et fond.

**Lachsforelle im Teig.** Lachsforelle, Zander, Trüffel, Pastetenteig, Safransauce und Gemüsebukett.

**Salmon trout en croûte.** Salmon trout, pike-perch, truffles, piecrust, saffron sauce and vegetable bouquet.

**Truite saumonnée en croûte.** Truite saumonnée, sandre, truffes, pâte à pâté, sauce au safran et bouquet de légumes.

**Gefüllte Rinderlende.** Lende, gefüllt mit Poulardenbrust und Ginsengwurzel, im Netz, Gemüsekörbchen und Rotweinsauce.

**Stuffed sirloin of beef.** Loin stuffed with chicken breast and ginseng root, vegetable baskets and red wine sauce.

**Filet de bœuf farci.** Filet farci de suprême de volaille et de racine de ginseng en crépine, petite corbeille de légumes et sauce au vin rouge.

**Moderne Restaurationsplatte.** Variation von Lachs und Seeteufel auf Pernod-sauce mit Gemüselasagne.

**Modern restaurant platter.** Variation of salmon and monkfish with Pernod sauce and vegetable lasagne

**Plat de restauration moderne.** Variation de saumon et de lotte sur une sauce au Pernod avec lasagnes de légumes.

**Gefüllter Lammrücken.** Lammrücken im Schweinenetz mit Waldpilzfüllung, Pilze mit Perlzwiebeln, weiße Rübchen und Spinatkartoffeln.

**Stuffed saddle of lamb.** Saddle of lamb in pig's caul with wild mushroom stuffing, mushrooms with pearl onions, white turnips and potatoes with spinach.

**Selle d'agneau farcie.** Selle d'agneau en crépine de porc farcie aux champignons des bois, champignons aux petits oignons, petits navets et pommes de terre aux épinards.

**Gefüllte Kalbshaxe.** Haxe mit Farce und Pilzen, rote Bete, Möhren, Zucchini und Klößchen in Petersilienfond.

**Stuffed knuckle of veal.** Knuckle of veal with forcemeat and mushrooms, beetroot, carrots, courgettes and dumplings in parsley gravy.

**Jarret de veau farci.** Jarret avec farce et champignons, betteraves rouges, carottes, courgettes et quenelles avec fond au persil.

**Hummer „Acadia".** Hummerschwanz mit Kräutern und Gemüse, Spinat, Kürbis, Zucchini und Kartoffeln.

**Lobster "Acadia".** Lobster tail with herbs and vegetables, spinach, pumpkin, courgettes and potatoes.

**Homard «Acadia».** Queue de homard aux fines herbes et aux légumes, épinards, potiron, courgettes et pommes de terre.

**Lachs und Seezunge in Rieslingsauce.** Lachs, Seezunge, Spinat, Zucchini, Karotten, Sellerie und Cocktailtomaten, überbackene Kartoffeln.

**Salmon and sole in Riesling sauce.** Salmon, sole, spinach, courgettes, carrots, celeriac and cocktail tomatoes, potato gratin.

**Saumon et sole en sauce au Riesling.** Saumon, sole, épinards, courgettes, carottes, céleri et tomates cerises, pommes de terre gratinées.

**Roulade von Salm und Steinbutt.** Lachs, Steinbutt, Spinatmousse und Tintenfischtuben mit Lachsmousse.

**Salmon and turbot roulade.** Salmon, turbot, spinach mousse and squid tubes with salmon mousse.

**Roulé de saumon et de turbot.** Saumon, turbot, mousse d'épinards et encornets farcis à la mousse de saumon.

**Das Beste vom Waldhuhn.** Waldhuhnbrust, geräuchert, und Keule, mit Maronen und Kräutern gefüllt, Wirsing, Austernpilze, Karotten, Sellerie, braisierter Salat und Knoblauchkartoffeln.

**The best of woodland chicken.** Smoked breast of woodland chicken and leg with chestnut and herb stuffing, savoy cabbage, oyster mushrooms, carrots, celeriac, braised lettuce and potatoes with garlic.

**Le meilleur du tétras.** Suprême de tétras fumé et cuisse farcie aux châtaignes et aux fines herbes, chou de Milan, champignons, carottes, céleri, salade braisée et pommes de terre à l'ail.

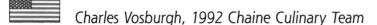 

**Trio von Geflügel.** Entenbrust, mit Rebhuhn, Nüssen und Kräutern gefüllt; Fasanenbrust mit Kastanienkruste; Pfannkuchen mit Duxelles von Wildpilzen; geräucherter Mais und tournierte Karotten.

**Poultry trio.** Duck breast stuffed with partridge, nuts and herbs; pheasant breast with a chestnut crust; pancake with wild mushroom duxelles; smoked sweet corn and carrot dainties.

**Trio de volailles.** Magret de canard farci à la perdrix, aux noix et aux fines herbes; poitrine de faisan en croûte de châtaignes; crêpe avec duxelles de champignons des bois; maïs fumé et carottes tournées.

**Seezungenroulade mit Hummer.** Seezungenfilets, Hummer und Fischfarce, Rote-Bete-Sauce, Sesamnocken, Shimekipilze und frische Gemüse.

**Roulade of sole with lobster.** Fillets of sole, lobster and fish forcemeat, beetroot sauce, sesame gnocchi, Shimeki mushrooms and fresh vegetables.

**Paupiette de sole au homard.** Filets de sole, homard et farce de poisson, sauce aux betteraves rouges, gnocchi au sésame, champignons Shimeki et légumes nouveaux.

**Variationen vom Fasan.** Fasanenbrust auf schwarzen Linsen, gefüllte Flügel, Wurst, Kartoffelpüree, Spinat, Rübchen und Möhren.

**Pheasant variations.** Breast of pheasant with black lentils, stuffed wing, sausage, potato purée, spinach, turnips and carrots.

**Variations sur le thème du faisan.** Suprême de faisan sur lentilles noires, aile farcie, saucisse, purée de pommes de terre, épinards, petits navets et carottes.

**Vegetarische Interpretation „Moderne Wurstplatte".** Die Würste, Spinat und Pistazie, Kräuter und Tomaten, Curry und Sesam, Rotkraut und Preiselbeeren, Taubenbohnen mit Schalotten, Dillkartoffeln im Blatt und Pilzessenz.

**Vegetarian interpretation "Modern Sausage Platter".** The sausages, spinach and pistachio, herbs and tomatoes, curry and sesame seed, red cabbage and cranberries, bean kernels with shallots, jacket dill potatoes and essence of mushroom.

**Interprétation végétarienne d'un «plat moderne de cochonnaille».** Les saucisses, épinards et pistaches, fines herbes et tomates, curry et sésame, chou rouge et airelles, haricots en grains aux échalottes, pommes de terre à l'aneth en feuille d'épinards et fumet de champignons.

**Lasagne mit Meeresfrüchten.** Nudelteig, verschiedene Fische, Gemüsegarnitur, Safran- und Basilikumsauce.

**Seafood lasagne.** Pasta dough, various fish, vegetable garnish, saffron and basil sauce.

**Lasagnes aux fruits de mer.** Pâte à nouille, poissons divers, légumes en garniture, sauce au safran et au basilic.

**Dialog von Fasan und Schneehuhn.** Mit Fasanenfarce gefüllte Schneehuhnbrust, Zucchini, Karotten, Artischockenböden, Pilze, Gemüseparfait und Sanddornsauce.

**Dialogue of pheasant and ptarmigan.** Breast of ptarmigan stuffed with pheasant forcemeat, courgettes, carrots, artichokes, mushrooms, vegetable parfait and sallow-thorn sauce.

**Dialogue de faisan et de perdrix blanche.** Suprême de perdrix blanche garni de farce de faisan, courgettes, carottes, fonds d'artichauts, champignons, parfait de légumes et sauce aux argouses.

*Kevin Dundon, Team Alberta*

**Kalbsfilet im Pfefferkleid.** Kalbsfilet mit Nußfarce, buntem Pfeffer, Bohnen, Maronen, Pilzen, Paprika und Limonensauce.

**Fillet of veal in a pepper coat.** Fillet of veal with nut stuffing, mixed peppercorns, beans, chestnuts, mushrooms, sweet peppers and lime sauce.

**Filet de veau en croustille de poivre.** Filet de veau farci aux noix, poivre multicolore, haricots, châtaignes, champignons, poivron et sauce au limon.

**Südwest-Schaltier-Schmortopf für zwei.** Florida-Hummer, Austern und Muscheln in Pernod-Brühe mit Seebohnen, Gemüsen und Kartoffelklößen.

**South-West seafood pot for two.** Florida lobster, oysters and mussels in Pernod stock with sea beans, vegetables and potato dumplings.

**Cocotte de fruits de mer du sud-ouest pour deux.** Homard de Floride, huîtres et coquillages en bouillon au Pernod avec haricots de mer, légumes et boulettes de pommes de terre.

**Lammbrust „Kloster Fahr".** Lammbrust mit Pilz- und Curryfarce, Gemüsegarnitur, Kartoffeln „Marquise" und Rosmarin-Knoblauch-Jus.

**Breast of lamb "Kloster Fahr".** Breast of lamb with mushroom and curry stuffing, vegetable garnish, marquise potatoes and rosemary and garlic gravy.

**Poitrine d'agneau «Kloster Fahr».** Poitrine d'agneau à la farce de champignons au curry, garniture de légumes, pommes de terre «marquise» et fond à l'ail et au romarin.

**Gefüllte Entenbrust.** Entenbrust, mit Waldpilzen gefüllt, Süßkartoffeln mit Preiselbeeren, Bohnen und Gnocchi.

**Stuffed breast of duck.** Breast of duck with wild mushroom stuffing, sweet potatoes with cranberries, beans and gnocchi.

**Magret de canard farci.** Magret de canard farci aux champignons des bois, patates douces aux airelles, haricots et gnocchi.

**Meeresfrüchtetopf.** Hummer in Fenchel, Dorschwürstchen und pochierte Grau-brasse mit grünem Spargel, Staudensellerie und Perlzwiebeln.

**Seafood pot.** Lobster with fennel, cod sausages and poached bream with green asparagus, celery and pearl onions.

**Fruits de mer en casserolle.** Homard au fenouil, petites saucisses de merluche et daurade grise pochée, avec asperges vertes, céleri en branches et petits oignons.

**Restaurationsplatte von Lamm und Kaninchen.** Filets von Kaninchen und Lamm im Kräutermantel, Wintergemüse, Glarner Maisdreieck und Dillrahmsauce.

**Restaurant platter of lamb and rabbit.** Fillet of rabbit and lamb in a herb crust, winter vegetables, Glarn maize triangle and creamed dill sauce.

**Plat d'agneau et de lapin.** Filets de lapin et d'agneau en chemise de fines herbes, légumes d'hiver, triangle de maïs de Glarn et sauce crème à l'aneth.

**Kalbsbries „Florence".** Kalbsbries mit Trüffel und Kalbsfarce im Schweinenetz, Grießschnitte, bunte Gemüsegarnitur und Trüffelsauce.

**Calves' sweetbreads à la Florence.** Calves' sweetbreads with truffles and veal forcemeat in pig's caul, semolina slices, mixed vegetable garnish and truffle sauce.

**Ris de veau «Florence».** Ris de veau aux truffes et à la farce de veau en crépine de porc, tranches de semoule, garniture multicolore de légumes et sauce aux truffes.

**Köstlichkeiten aus Wald, Garten und Wasser.** Roulade von Seesaiblingen, gefüllt mit Fischfarce und Pilzen, Kräutersauce, Seezungenfilets mit Meerbohnen, Safrankartoffeln und Fenchel.

**Delicacies from forest, garden and lake.** Roulade of sea char, stuffed with fish forcemeat and mushrooms, herb sauce, fillets of sole with sea beans, saffron potatoes and fennel.

**Délices de la forêt, du jardin, de la mer et des lacs.** Paupiette d'omble aux champignons et à la farce de poissons, sauce aux fines herbes, filets de soles aux haricots de mer, pommes de terre au safran et fenouil.

**Lammrücken im Lauchmantel.** Lammrücken mit Farce und Lauch, soufflierte Kartoffeln, bunte Gemüse, Lammnieren und Madeirasauce.

**Saddle of lamb in a leek crust.** Saddle of lamb with forcemeat and leeks, potato soufflé, mixed vegetables, lambs' kidneys and madeira sauce.

**Selle d'agneau en chemise de poireau.** Selle d'agneau farcie et poireau, pommes de terres soufflées, légumes multicolores, rognons d'agneau et sauce au madère.

**Meeresfrüchtespieß vom Grill.** Zander, Lachs, Rotbarbe, Jakobsmuschel und Garnele auf roten Linsen mit grünen Spargelspitzen und Zitronensauce.

**Grilled seafood kebab.** Pike-perch, salmon, red mullet, scallop and prawn with red lentils, green asparagus tips and lemon sauce.

**Brochette de fruits de mer grillée.** Sandre, saumon, rouget, coquille Saint-Jacques et crevettes sur lentilles rouges avec pointes d'asperges vertes et sauce au citron.

**Fasanenbrust im Gemüsemantel.** Fasanenbrust, Lauch, Karotten, Fasanenleberrolle mit Bohnen, Kürbis, Rosenkohl, Pfifferlinge, Äpfel und Champignonsauce.

**Pheasant breast wrapped in vegetables.** Pheasant breast, leeks, carrots, pheasant liver roll with beans, pumpkin, Brussels sprouts, chanterelles, apples and mushroom sauce.

**Poitrine de faisan en chemise de légumes.** Poitrine de faisan, poireau, carottes, rouleau de foie de faisan avec des haricots, du potiron, des choux de Bruxelles, des girolles, des pommes et une sauce aux champignons.

**Rehlende mit Johannisbeeren.** Rehlende, Johannisbeeren, Steinpilzauflauf, Bohnen, rote Zwiebeln, Romanesco, gelbe Zucchini und Cocktailtomaten.

**Loin of venison with redcurrants.** Loin of venison, redcurrants, cep soufflé, beans, red onions, romanesco, yellow courgettes and cocktail tomatoes.

**Filet de chevreuil aux groseilles.** Filet de chevreuil, groseilles, cèpes au four, oignon rouge, romanesco, courgettes jaunes et tomates cerises.

**Perlhuhnbrust „Amish Farms".** Gefüllte Perlhuhnbrust, Kürbis, Karotten, Bohnen, Pilze und zwei Saucen.

**Breast of guinea-fowl "Amish Farms".** Stuffed brest of guinea-fowl, pumpkin, carrots, beans, mushrooms and two sauces.

**Suprême de pintade «Amish Farms».** Suprême de pintade farci, potiron, carottes, haricots, champignons et deux sauces.

**Bruderschaft von Salm und Hummer.** Salmmousse und Filet, in der Haut pochiert, Hummer, Gemüsebukett, Safrankartoffeln im Kohlblatt, Dillsauce.

**Brotherhood of salmon and lobster.** Salmon mousse and fillet poached in the skin, lobster, vegetable bouquet, saffron potatoes in a cabbage leaf, dill sauce.

**Fraternité de saumon et de homard.** Mousse de saumon et filet poché dans sa peau, homard, bouquet de légumes, pommes de terre au safran en feuille de chou, sauce à l'aneth.

**Gefüllter Kürbis.** Kürbis, mit Truthahn und Pilzen gefüllt, Garnelen, kleines Gemüse, Wildreis und Sojasauce.

**Stuffed pumpkin.** Pumpkin stuffed with turkey and mushrooms, prawns, dainty vegetables, wild rice and soy sauce.

**Potiron farci.** Potiron farci à la dinde et aux champignons, crevettes, petits légumes, riz sauvage et sauce au soja.

**Feines vom Milchkalb.** Kalbsfilet, gefüllter Kalbsschwanz, Sellerie, Karotten, Rübchen, Schnittlauchsauce und Pilzstrudel.

**The best of spring veal.** Fillet of veal, stuffed calf's tail, celeriac, carrots, turnips, chive sauce and mushroom strudel.

**Délices de veau de lait.** Filet de veau, queue de veau farcie, céleri, carottes, petits navets, sauce à la ciboulette et strudel aux champignons.

**Gedämpfter Pompano mit chinesischen Kräutern.** Pompano, chinesische Kräuter, in Nage mit Ginseng, Koki-Samen, roten Datteln und Ingwer, Reistaschen, exotische Gemüse.

**Steamed pompano with Chinese herbs.** Pompano, Chinese herbs, nage with ginseng, koki seeds, red dates and ginger, rice turnovers, exotic vegetables.

**Pompano cuit à la vapeur avec des fines herbes chinoises.** Pompano, fines herbes chinoises, à la nage au ginseng, graines de koki, dattes rouges et gingembre, chausson au riz, légumes exotiques.

**Fernöstliches Menü.** Elster, mit Wachteleiern, Tintenfisch, Garnelen, Kartoffeln und Pilzen zubereitet; Suppe mit Garnelen; Holzbündel, mit Hühnerfleisch zubereitet.

**Far Eastern menu.** Magpie made of quails' eggs, squid, prawns, potatoes and mushrooms; soup with prawns; bundles of wood made of chicken.

**Menu d'Extrême-Orient.** Pie composée d'œufs de caille, de calmar, de crevettes, de pommes de terre et de champignons; soupe de crevettes; fagot de chair de poule.

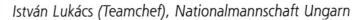 

**Tagesmenü.** Forellenfilet, mit Lachs und Oliven gefüllt, Sahne-Dill-Sauce, Pilzkartoffeln und Karottenblüte; Kalbsjungfern, mit Niere gefüllt, Linsen- und Bohnenragout, Brokkoli- und Kürbistimbale; Vanillecreme mit Karamelsauce und Marzipanrosen.

**Menu of the day.** Fillet of trout with salmon and olive stuffing, cream and dill sauce, potatoes and mushrooms and carrot flower; fillet of veal with kidney stuffing, lentil and bean ragout, broccoli and pumpkin timbale; vanilla cream with caramel sauce and marzipan roses.

**Menu du jour.** Filet de truite farci au saumon et aux olives, sauce crème à l'aneth, pommes de terre aux champignons et fleurs de carottes; filet de veau farci aux rognons, ragoût de lentilles et de haricots; timbale de brocoli et de courge; crème à la vanille avec sauce caramel et roses de pâte d'amandes.

**Tagesmenü.** Wildhasenterrine mit Pilzen, Bohnen und Schnittlauchsauce; Forellenmousse im Pfannkuchen; Kirschtörtchen mit Hippenblättern.

**Menu of the day.** Terrine of hare with mushrooms, beans and chive sauce; pancake with trout mousse; cherry tartlet with leaves of almond wafer.

**Menu du jour.** Terrine de lièvre sauvage avec des champignons, des haricots et une sauce à la ciboulette; crêpe à la mousse de truite; tartelettes aux cerises et feuilles en pâte à tuiles.

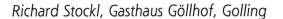 

**Vegetarisches Menü.** Gerstensülze auf Salaten mit Steinpilzen und Kräuterjoghurt; Hirse-Leinsamen-Roulade mit buntem Gemüse; Dörrpflaumenauflauf auf Weinschaum mit Vogelbeereis.

**Vegetarian menu.** Chaud-froid of barley, salads with ceps and herb-flavoured yoghurt; millet and linseed roulade with mixed vegetables; prune soufflé, wine mousse and rowanberry ice cream.

**Menu végétarien.** Aspic d'orge sur salade aux cèpes et yogourt aux fines herbes; roulade au millet et aux graines de lin avec légumes multicolores; gratin de pruneaux sur mousse au vin avec glace aux sorbes.

**Tagesmenü aus See und Wald.** Barschfilet auf Kartoffelscheiben mit Petersilien-sauce; Elchhaxe mit jungem Gemüse; marinierte Pflaume in Quarkteig.

**Menu of the day from sea and forest.** Perch fillet on sliced potatoes with parsley sauce; knuckle of elk with young vegetables; marinated plum in curd dough.

**Menu du jour des lacs et des forêts.** Filet de perche sur rondelles de pommes de terre avec une sauce au persil; jarret d'élan avec jeunes légumes; prune macérée en pâte au fromage blanc.

**Aus dem Gourmet-Menü.** Lauwarmer Hummer und Bries auf Salaten in Fenchel-vinaigrette; gedämpftes Salmfilet auf Spinat und Artischocken, leichte Senfsauce; Haselnußbiskuit mit weißer und dunkler Mousse, Baiserstäbchen und Johannis-beersauce.

**From the gourmet menu.** Lukewarm lobster and sweetbreads on salads in fennel vinaigrette; steamed salmon fillet on a bed of spinach and artichokes, light mustard sauce; hazelnut sponge with white and dark mousse, matchstick meringues and redcurrant sauce.

**Extrait d'un menu de gourmet.** Homard tiède et ris de veau sur salade en vinai-grette au fenouil; filet de saumon cuit à la vapeur sur épinards et artichauts, sauce légère à la moutarde; biscuit à la noisette avec mousse blanche et noire, meringue en bâtonnets et coulis de groseilles.

**Vegetarisches Menü.** Salat von Tofu und Hülsenfrüchten; Mosaik von Gemüsen und Topinamburperlen; Dattelknödel mit Karamelsauce und Nüssen.

**Vegetarian menu.** Salad of tofu and pulses; mosaic of vegetables and Jerusalem artichoke balls; date dumplings with caramel sauce and nuts.

**Menu végétarien.** Salade de tofu et de légumes secs; mosaïque de légumes et perles de topinambour; boulettes de dattes avec sauce au caramel et noix.

**Teil des Gourmet-Menüs.** Roulade von Rehrücken, am Knochen gebraten, im Strudelblatt, tournierte Gemüse; Ziegenkäse in der Nußkruste mit rosa Pfeffer; Praline von Marzipan mit Limonenjoghurt und Holunder.

**Gourmet menu selection.** Roulade of saddle of venison roast on the bone in strudel pastry, vegetable dainties; goat's cheese in a nut crust with pink peppercorns; marzipan praline with lime yoghurt and elderberries.

**Une partie d'un menu de gourmet.** Roulade de selle de chevreuil rôtie à l'os en feuille de strudel, légumes tournés; fromage de chèvre en croûte de noix au poivre rose; bouchée de pâte d'amandes et yogourt au limon et au sureau.

**Festmenü „Lächeln unserer Dame".** Entenbrust, mit Papaya gefüllt, Gemüsegelee; Lammkotelett mit Pilz, Perlzwiebel, Kartoffel und Minzsauce; gegrillte Jakobsmuscheln auf Gemüsestreifen mit Safransauce; „Shiosai", japanisches Dessert.

**Festive menu "our lady's smile".** Duck breast stuffed with pawpaw, jellied vegetables; lamb chop with mushroom, pearl onion, potato and mint sauce; grilled scallop on julienne vegetables with saffron sauce; "Shiosai", Japanese dessert.

**Menu de fête «sourire de notre dame».** Magret de canard farci à la papaye, gelée de légumes; côtelette d'agneau au champignon, petit oignon, pomme de terre et sauce à la menthe; coquilles Saint-Jacques grillées sur julienne de légumes avec sauce au safran; «Shiosai», dessert japonais.

**„Glückliches Potpourri".** Hummer mit Hechtfarce in Spinat auf Pimentosauce mit Reismehlnocken; Filet vom Rind in Eihülle, Holundersauce mit Chilis; Salat von Pilzen und Gemüsen.

**"Delightful potpourri".** Lobster with pike forcemeat in spinach on pimento sauce with rice flour gnocchi; fillet of beef coated in egg, elderberry sauce with chillies; mushroom and vegetable salad.

**«Pot-pourri heureux».** Homard farci au brochet et en épinards sur sauce aux piments avec gnocchi de farine de riz; filet de bœuf en chausson d'œuf; sauce au sureau avec des chilis; salade de champignons et de légumes.

**Tagesmenü.** Gemüsesuppe mit Käseschöberl; Putenbrust mit Knödelkern, Tomaten-Lauch-Gemüse und Pfefferrahmsauce; Quark-Früchte-Terrine.

**Menu of the day.** Vegetable soup with cheese gnocchi; turkey breast stuffed with dumplings, tomato and leeks and creamed pepper sauce; quark and fruit terrine.

**Menu du jour.** Soupe de légumes avec petites quenelles de fromage; suprême de dinde à la farce de quenelles, poireau, tomates et sauce poivrée à la crème; terrine de fromage blanc et de fruits.

**Aus einem Festmenü.** Lachsforelle und Weißfisch mit Dill, Algensprossen, Pimentorauten, Perlzwiebeln und Karottenstreifen auf Safransauce; Lammrücken mit Shiitakepilzen im Netz, Linsentimbale, Süßkartoffeln und Zucchini; exotischer Salatteller mit Frischkäse im Maispfannkuchen.

**From a festive menu.** Salmon trout and whitefish with dill, seaweed sprouts, pimento diamonds, pearl onions and julienne carrots with saffron sauce; saddle of lamb with Shiitake mushrooms, lentil timbale, sweet potatoes and courgettes; exotic side salad with fromage frais in a corn pancake.

**Extrait d'un menu de fête.** Truite saumonnée et poisson blanc à l'aneth, pousses d'algues, piments, petits oignons et julienne de carottes sur sauce au safran; selle d'agneau aux champignons shiitake en crépine, timbale de lentilles, patates douces et courgettes; salade exotique au fromage frais en crêpe de maïs.

**174**

**Exotisches Menü.** Hummer- und Jakobsmuschelrolle mit Limonen-Buttersauce; gerolltes Rinderfilet mit Gänseleber und Trüffel, junge Gemüse und Rotweinsauce; drei verschiedene Mousses im Nest mit Cointreau-Sauce.

**Exotic menu.** Lobster and scallop roll with lime and butter sauce; rolled fillet of beef with goose liver and truffles, young vegetables and red wine sauce; three sorts of mousse in a nest with Cointreau sauce.

**Menu exotique.** Roulé de homard et de coquille Saint-Jacques avec sauce beurre au citron vert; roulé de filet de bœuf au foie d'oie et aux truffes, légumes nouveaux et sauce au vin rouge; nid garni de trois mousses différentes avec sauce au Cointreau.

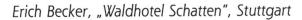 

**Aus einem festlichen Menü.** Saibling und Jakobsmuschel vom Grill mit Zucker-schoten und Linsensalat; Wachtelbrust, gefüllt mit Trüffelpanaché, Korinthenglace, Sellerietortellini und Gemüsegarnitur; Schokoladenterrine mit Minzparfait.

**From a festive menu.** Grilled char and scallops with mange-touts and lentil salad; breast of quail stuffed with truffle panaché, glacé currants, celeriac tortellini, and vegetable garnish; chocolate terrine with mint parfait.

**Extrait d'un menu de fête.** Omble et coquille Saint-Jacques grillés avec petits pois mange-tout et lentilles en salade; suprême de caille farci d'un panaché de truffes, glaçage aux raisins de Corinthe, tortellini au céleri et légumes en garniture; terrine de chocolat et parfait à la menthe.

**Festliches Tagesmenü.** Seeteufel-Lachs-Carpaccio mit gelbem Paprikaschoten-mousse; Poulardenbrust, mit Pfifferlingen gefüllt, Basilikumnudeln, Gemüsebukett; Honig-Mohn-Halbgefrorenes mit Himbeeren und Vanillewaffel.

**Festive menu of the day.** Monkfish and salmon carpaccio with mousse of yellow peppers; chicken breast with chanterelle stuffing, pasta with basil, bouquet of vegetables; honey and poppyseed sorbet with raspberries and vanilla wafer.

**Solennel menu du jour.** Carpaccio de lotte et de saumon avec mousse de poivrons jaunes; suprême de poularde farci aux girolles, nouilles au basilic, bouquet de légumes; semi-glacé au pavot et au miel avec framboises et gaufrette à la vanille.

**Tagesmenü.** Kleiner Kürbis mit Waldpilzen; Stockfisch im Hühnerbrüstchen mit Möhrchen, Zucchini und Tomatensauce; Kokosnußpudding mit Quittenmark.

**Menu of the day.** Small pumpkin with wild mushrooms; stockfish in chicken breast with baby carrots, courgettes and tomato sauce; coconut pudding with quince purée.

**Menu du jour.** Potiron nain aux champignons des bois; petits suprêmes de volailles garnis de morue avec petites carottes, courgettes et sauce à la tomate; flan à la noix de coco avec pulpe de coing.

**Tagesmenü.** Terrine von jungem Hummer mit Bohnen auf Tomatensauce; gefüllter Kaninchenrücken, Trüffelsauce, Bohnenkerne und Paprika; Putenbrustfilet mit Kräuter in Nori-Blättern, Lauch, Mu-Err-Pilze und Kartoffelscheiben.

**Menu of the day.** Terrine of young lobster with beans and tomato sauce; stuffed saddle of rabbit, truffle sauce, bean kernels and peppers; fillet of turkey breast with herbs in nori leaves, leek, mu-err mushrooms and sliced potatoes.

**Menu du jour.** Terrine de jeune homard avec des haricots sur sauce tomate; râble de lapin farci, sauce aux truffes, haricots en grains et poivron; filet de poitrine de dinde aux fines herbes en feuilles de nori, poireau, champignons mu err et rondelles de pommes de terre.

**Gemüsetorte mit Erdnußsauce; Edelfische mit Champagnerkraut; Suppentopf von Hausgeflügel.** Gemüsetorte mit Erdnußsauce und Pilzen; Roulade von Edelfischen mit Champagnerkraut auf Safransauce, Dillkartoffeln, Fleurons und Tomaten; verschiedene Geflügel in ihrer Brühe mit jungen Gemüsen.

**Vegetable flan with peanut sauce, noble fishes, sauerkraut with champagne, poultry soup.** Vegetable flan with peanut sauce and mushrooms; roulade of noble fishes with champagne sauerkraut, saffron sauce, dill potatoes, fleurons and tomatoes; various types of poultry in their own stock with young vegetables.

**Tourte aux légumes avec sauce aux cacahouètes, poissons nobles avec choucroute au champagne, volaille au pot.** Tourte aux légumes avec sauce aux cacahouètes et champignons; roulade de poissons nobles à la choucroute au champagne sur sauce au safran, pommes de terre à l'aneth, fleurons et tomates; différentes volailles cuites dans leur bouillon avec des légumes nouveaux.

**Gourmet-Menü zum Fest.** Fischkraftbrühe mit Langostino und Seeteufel; Torte von Edelfischen mit Safransauce; Lammfilet mit Kräuterkruste, Gemüsegarnitur und Maiskrustade mit Mohn; Frischkäseterrine mit Trockenfrüchten.

**Gourmet menu for a celebration.** Fish consommé with crawfish and monkfish; choice fish flan with saffron sauce; fillet of lamb in a herb crust, vegetable garnish and maize croustade with poppyseed; fromage frais terrine with dried fruits.

**Menu de gourmet pour une fête.** Consommé de poisson avec langoustine et lotte; tourte de poissons nobles avec sauce au safran; filet d'agneau en croûte de fines herbes, garniture de légumes et croustade de maïs avec graines de pavot; terrine de fromage frais aux fruits secs.

**Verführung auf australisch.** Jakobsmuscheln mit Zitronengras und schwarzen Bohnen; Taubenbrust in Blätterteig mit Ei und Beeren; Lammfilet mit Macadamia-Nuß-Kruste und kleinem Gemüse; Passionsfruchttimbale mit Beeren.

**Australian temptation.** Scallops with lemon grass and black beans; pigeon breast in puff pastry with egg and berries; fillet of lamb with macadamia nut crust and dainty vegetables; passionsfruit timbale with berries.

**Séduction australienne.** Coquille Saint-Jacques à la citronnelle et aux haricots noirs; feuilleté au suprême de pigeon avec œuf et petits fruits; filet d'agneau en croûte de noix de Macadamia et petits légumes; timbale aux fruits de la passion avec baies.

**Menü aus dem Piemont.** Parmesanflan mit Quarkgebäck und Salat; Pfannkuchen mit Auberginen; Kalbsfilet mit Rosmarinkruste und kleinem Gemüse; Amarettocreme auf Piemonteser Art.

**Menu from Piemont.** Parmesan flan with quark pastries and salad; aubergine pancakes; fillet of veal with rosemary crust and dainty vegetables; amaretto cream à la Piemont.

**Menu piémontais.** Flan au parmesan avec petit four au fromage blanc et salade; crêpe aux aubergines; filet de veau en croûte au romarin et petits légumes; crème amaretto à la piémontaise.

**Festliches Menü im Oktober (1).** Maisschnitte auf Paprika; Lachs und Zander, Topinamburscheiben; Salat von der Wachtel.

**Festive October menu (1).** Corn slices on peppers; salmon and pike-perch, Jerusalem artichoke slices; salad of quail.

**Menu de fête en octobre (1).** Tranches de maïs sur poivron; saumon et sandre, rondelles de topinambour; caille en salade.

**Festliches Menü im Oktober (2).** Fenchelsorbet auf Pernodorangen; Rehcharlotte, Holundersauce und Pilze; Gorgonzola im Chicorée; Williamsparfait mit Nugatfour und Quittensauce.

**Festive October menu (2).** Fennel sorbet with Pernod oranges; charlotte of venison, elderberry sauce and mushrooms; chicory with gorgonzola stuffing; Williams pear parfait with nougat four and quince sauce.

**Menu de fête en octobre (2).** Sorbet de fenouil sur oranges au Pernod; charlotte de chevreuil, sauce au sureau et champignons; endive au gorgonzola; parfait de poire William avec petit four au nougat et coulis de coings.

**Aus einem irischen Galamenü.** Pfannkuchenrolle „Alter Federhalter" mit Brennes-selsauce; Kalbsrücken im Mosaikmantel in Mohnkruste, Kalbsbriesnocken, Bohnen-sprossen, Bohnen und Ratatouillesauce; Schaumbrot von Geflügel und Champignons, Johannisbeergelee und Brioche; Mousse von Ananas und Kokosnuß.

**From an Irish gala menu.** Pancake roll "Old Pen" with nettle sauce; saddle of veal in a mosaic coating with poppyseed crust, gnocchi of sweetbreads, beansprouts, beans, and ratatouille sauce; poultry and mushroom mousse, redcurrant jelly, and brioche; pineapple and coconut mousse.

**Extrait d'un menu de gala irlandais.** Crêpe roulée «porte-plume à l'ancienne» avec sauce aux orties; longe de veau en manteau mosaïque et avec une croustille de pavot, gnocchi de ris de veau, germes de haricots, haricots et sauce ratatouille; pain à la mousse de volaille et de champignons, gelée de groseilles et brioche; mousse à l'ananas et à la noix de coco.

**Tagesmenü „Pan Pacific Hotel".** Mit Zitronengras gewürzte, süß-saure Suppe; mit Spinat und Trüffel gefüllte Präriehuhnbrust auf Limettensauce; Kalbsfilet im Kräutermantel mit Hummer, Artischocken, Auberginen, grünem Spargel und Brioche; Aprikosen-Stachelbeer-Torte mit Heidelbeersauce.

**Menu of the day "Pan Pacific Hotel".** Sweet and sour soup seasoned with lemon grass; prairie chicken breast with spinach and truffle stuffing and lime sauce; fillet of veal in a herb crust with lobster, artichokes, aubergines, green asparagus, and brioche; apricot and gooseberry gateau with blueberry sauce.

**Menu du jour du «Pan Pacific Hotel».** Soupe à l'aigre-doux parfumée à la citronnelle; suprême de perdrix farci aux épinards et aux truffes sur sauce à la limette; filet d'agneau en chemise de fines herbes avec homard, artichauts, aubergines, asperges vertes et brioche; gâteau aux abricots et aux groseilles à maquereau avec coulis de myrtilles.

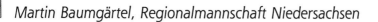 

**Festliche Speisenfolge.** Klare Rote-Bete-Suppe, Ravioli mit Linsen und Sprossen; gefüllte Entenbrust mit Aprikosensauce, Serviettenknödel; Lammkarree mit Pfifferlingen und Schalottensauce, Gemüseauswahl, Gnocchi; karamelierte Windbeutel mit Mousse und Eis.

**Festive menu.** Beetroot consommé, ravioli with lentils and beansprouts; stuffed duck breast with apricot sauce, serviette dumplings; best end of lamb with chanterelles and shallot sauce, selection of vegetables, gnocchi; caramelized éclairs with mousse and ice cream.

**Menu de fête.** Bouillon de betteraves rouges, ravioli de lentilles et de pousses; magret de canard farci avec sauce aux abricots, boulettes à la serviette; carré d'agneau aux girolles avec sauce à l'échalotte, garniture de légumes, gnocchi; chou caramélisé garni de mousse et de glace.

**Festliche Menüfolge.** Entenleber auf Blattspinat mit Passionsfruchtvinaigrette; Artischockenboden mit Hummer, Jakobsmuschel und Trüffel; Poulardenbrust, Kartoffelscheiben und kleines Ratatouille; Schokoladentropfen mit Vanillecreme, Mangosauce und Zuckerornament.

**Festive menu.** Duck liver on a bed of spinach with passionfruit vinaigrette; artichokes with lobster, scallops and truffles; chicken breast, sliced potatoes and a little ratatouille; chocolate drops with vanilla cream, mango sauce and sugar décor.

**Menu de fête.** Foie de canard sur épinards en branches avec vinaigrette aux fruits de la passion; fond d'artichaut avec homard, coquille Saint-Jacques et truffes; suprême de poularde, rondelles de pommes de terre et petite ratatouille; gouttes de chocolat en crème à la vanille, coulis de mangue et décoration en sucre.

 *Franz G. Litzner (Teamchef), Queensland Team*

**Aus dem Gourmet-Menü.** Salm vom Grill mit Zucchiniblüte und rosa Weinsauce; Mokka- und Zitronenmousse mit Dekor aus weißer und dunkler Kuvertüre; Kalbsroulade mit Bries und Spinat auf Madeirasauce, junge Gemüse, Wildreis; Parmaschinken mit Frischkäse, Melone und Erdbeere auf Honig-Limettensauce.

**Gourmet menu.** Grilled salmon with courgette blossom and rosé wine sauce; mocca and lemon mousse with décor of white and dark couverture; veal roulade with sweetbreads and spinach, Madeira sauce, young vegetables, wild rice; Parma ham with fromage frais, melon and strawberry on a honey and lime sauce.

**Extrait d'un menu de gourmet.** Saumon grillé avec fleur de courgette et sauce au vin rosé; mousse au café et au citron avec décor de chocolat blanc et noir; paupiette de veau au ris de veau et aux épinards sur sauce au madère, jeunes légumes, riz sauvage; jambon de Parme avec fromage frais, melons et fraises sur sauce limette au miel.

**Südafrikanisches Galamenü.** Junge Gemüse und Lauch mit Karottenmousse gefüllt, auf grüner Sauce; Salmroulade mit Pilzen und Hummer in Gemüsebrühe; Duo von Käse mit Kräutern, Senf und Mooskonfit; bayrische Creme mit Haselnüssen und Vanille auf Krokantsockel.

**South African gala menu.** Young vegetables and leeks stuffed with carrot mousse on a green sauce; salmon roulade with mushrooms and lobster in vegetable stock; cheese duo with herbs, mustard and moss preserve; crème bavaroise with hazelnuts and vanilla on a brittle base.

**Menu de gala sud-africain.** Jeunes légumes et poireau farci à la mousse de carottes sur une sauce verte; roulade de saumon aux champignons et au homard en bouillon de légumes; duo de fromage aux fines herbes et à la moutarde, confit de mousse; bavarois aux noisettes et à la vanille sur socle de nougatine.

**Aus einem Festmenü.** Gefüllter Entenhals im Würzsud; Hummerschwanz im Kohlblatt, Ingwersauce; Rehfilet unter der Maiskruste mit schwarzen Bohnen; zweierlei Mokkaparfait im Baumkuchenmantel mit Granatapfelsauce.

**From a festive menu.** Stuffed neck of duck in a spicy gravy; lobster tail in a cabbage leaf, ginger sauce; venison fillet in a maize crust with black beans; mixed mocca parfait in a pyramid cake case with grenadine sauce.

**Extrait d'un menu de fête.** Cou de canard farci à la nage épicée; queue de homard en feuille de chou, sauce au gingembre; filet de chevreuil en croûte de maïs avec des haricots noirs; deux sortes de parfait au café en manteau de pièce montée avec coulins de grenade.

**Aus dem Gourmet-Menü.** Morchel mit Papayamousse auf Salaten mit roter Pfeffervinaigrette; Taubenkraftbrühe mit Safran und Ei; Meeresfrüchte mit wildem Spargel; Ananascharlotte, überbacken.

**From the gourmet menu.** Morel with pawpaw mousse on salads with red pepper vinaigrette; pigeon consommé with saffron and egg; seafood with wild asparagus; pineapple charlotte au gratin.

**Extrait d'un menu de gourmet.** Morille avec mousse de papaye sur salade en vinaigrette au poivre rouge; consommé de pigeon au safran et à l'œuf; fruits de mer aux asperges sauvages; charlotte à l'ananas gratinée.

**Aus einem schweizerischen Gourmet-Menü.** Wachtelroulade nach Freiburger Art, geräuchert, mit Kräuterfüllung; Gemüseessenz nach Bündner Art mit Gerstennocken; Emmentaler Lammallerlei in Blätterteigkruste; Zuger Rötelifilet mit zartem Wirsing; dreifarbige Schokoladenterrine mit Birnenpüree.

**From a Swiss gourmet menu.** Freiburg smoked quail roulade with herb stuffing; Grisons essence of vegetables with barley gnocchi; Emmental lamb medley in a puff pastry case; Zug char fillet with tender savoy cabbage; triple chocolate terrine with puréed pear.

**Extrait d'un menu de gourmet suisse.** Paupiette de caille à la mode de Fribourg, fumée et farcie aux fines herbes; fumet de légumes à la manière des Grisons avec gnocchi d'orge; agneau d'Emmental en croûte de pâte feuilletée; filet d'omble-chevalier de Zug avec tendre chou de Milan; terrine de chocolat tricolore avec compote de poires.

**Tagesmenü „Nordeifel".** Entenkraftbrühe mit Strudel; Lachsnockerln, Senfsauce, Grünkernrisotto und Gemüse; Rehrückenfilet, Pfifferlinge, Rotweinbirne, bunte Nudeln und Wacholderrahmsauce; Joghurt-Erdbeer-Timbale und Mangosauce.

**"Nordeifel" menu of the day.** Duck consommé with strudel; salmon gnocchi, mustard sauce, green corn risotto and vegetables; venison fillet, chanterelles, pear in red wine, pasta medley and juniper cream sauce; yoghurt and strawberry timbale with mango sauce.

**Menu du jour «Nordeifel».** Consommé de canard avec strudel; gnocchi de saumon, sauce moutarde, risotto de blé vert et légumes; filet de selle de chevreuil, girolles, poire au vin rouge, nouilles multicolores et sauce crème au genièvre; timbale de fraises et de yogourt, coulis de mangue.

**Menü zum Hochzeitstag.** Hühnerbrustroulade mit Pfifferlingen, Brokkoli und Kräutersauce; Welsfilet mit Räucherlachs- und Spinatmousse, grüne Spargelspitzen, Kirschtomaten und Weißweinsauce; Kaninchenrücken in Kohl mit jungen Gemüsen und Sprossensauce; Apfeldessert „Jonathan".

**Wedding day menu.** Roulade of chicken breast with chanterelles, broccoli and herb sauce; fillet of catfish with smoked salmon and spinach mousse, green asparagus tips, cherry tomatoes and white wine sauce; saddle of rabbit in cabbage with young vegetables and beansprout sauce; "Jonathan" apple dessert.

**Menu pour l'anniversaire du mariage.** Roulade de suprême de poulet aux girolles, brocoli et sauce aux fines herbes; filet de silure avec mousse de saumon fumé et d'épinards, pointes d'asperges vertes, tomates cerises et sauce au vin blanc; râble de lapin en feuille de chou avec petits légumes et sauce aux germes; dessert aux pommes «Jonathan».

**Aus dem Gourmet-Menü „Latini".** Truthahnroulade, Kaninchenleber, Salate und Radieschenvinaigrette; Zander und Flußkrebs in Safranpfannkuchen mit Frühlingszwiebeln; Rinderfilet mit Kalbsbries und Spinat im Netz, Kartoffellaibchen, Gemüse und Rotweinsauce; Maronen-Zwetschgen-Creme mit Hagebuttensauce und Beeren.

**From the "Latini" gourmet menu.** Turkey roulade, rabbit's liver, salads and radish vinaigrette; pike-perch and crayfish in a saffron pancake with spring onions; fillet of beef with calves' sweetbreads and spinach, potato loaves, vegetables and red wine sauce; chestnut and plum cream with rosehip sauce and berries.

**Extrait d'un menu de gourmet «latini».** Roulade de dinde, foie de lapin, salades et vinaigrette aux radis roses; sandre et écrevisse en crêpe au safran avec petits oignons; filet de bœuf avec ris de veau et épinards en crépine, petits pains de pommes de terre, légumes et sauce au vin rouge; crème de marrons aux quetsches avec sauce aux cynorhodons et baies.

**Festliches Mittagsmenü.** Mariniertes Seezungenröllchen mit Rauchlachs und Linsenvinaigrette; Essenz von Steinpilzen mit Steinpilzklößchen; Rehrückenfilet, Wildrahmsauce, Maispfannkuchen, Rosenkohl; Joghurt-Flan mit Waldbeeren.

**Festive lunch menu.** Marinated paupiettes of sole with smoked salmon and lentil vinaigrette; essence of cep with cep quenelles; saddle of venison, cream of game sauce, cornmeal pancakes, Brussels sprouts; yoghurt flan with wild berries.

**Déjeuner de fête.** Paupiette de sole marinée avec saumon fumé et lentilles en vinaigrette; fumet et quenelles de cèpes; filet de selle de chevreuil, sauce crème de venaison, crêpe de maïs, choux de Bruxelles; flan au yogourt avec fruits de la forêt.

**Tagesmenü.** Geräucherte Lammnuß mit Sesamkäse und Vinaigrette; Sternrochen-roulade mit Rote-Bete-Sauce; Krickente, mit Linsen und wildem Reis gefüllt, Karottenmousse und Rhabarbersauce; Bananen-, Kokosnuß- und Schokoladeneis mit Waldbeerensauce.

**Menu of the day.** Smoked noisette of lamb with sesame cheese and vinaigrette; roulade of skate with beetroot sauce; teal with lentil and wild rice stuffing, carrot mousse and rhubarb sauce; banana, coconut and chocolate ice with fruits of the forest sauce.

**Menu du jour.** Noix d'agneau fumé avec fromage au sésame et vinaigrette; roulade de raie avec sauce aux betteraves rouges; sarcelle farcie aux lentilles et au riz sauvage, mousse de carottes et sauce à la rhubarbe; glace à la banane, à la noix de coco et au chocolat avec coulis de fruits de bois.

**Isländisches Festmenü.** Lachsballotine mit drei Saucen und grünen Spargelspitzen; Roquefort-Pfanne mit Sellerie- und Walnußmousse auf Madeiragelee; Lammkotelett mit Kartoffelkruste und Trompetenpilzsauce; Heidelbeeren- und Rhabarberterrine.

**Icelandic festive menu.** Ballotine of salmon with three sauces and green asparagus tips; roquefort stir-fry with celeriac and walnut mousse on madeira jelly; lamb chop with potato crust and craterelle sauce; bilberry and rhubarb terrine.

**Menu de fête islandais.** Ballotine de saumon aux trois sauces et aux pointes d'asperges vertes; poêlée de roquefort au céleri avec mousse aux noix sur gelée au madère; côtelette d'agneau en croustille de pommes de terre et sauce aux craterelles; terrine de myrtilles et de rhubarbe.

**Festmenü.** Seezungenfilet mit Salmmousse und Safransauce; Kalbsroulade mit Pfifferlingen; Stubenküken, Gemüsegarnitur, Gnocchi und Trüffelsauce; Schokoladenbecher mit Rosencreme, Marzipanrose und Himbeermark.

**Festive menu.** Fillet of sole with salmon mousse and saffron sauce; veal roulade with chanterelles. Poussin, vegetable garnish, gnocchi and truffle sauce; chocolate cup with rose-flavoured cream, marzipan rose and raspberry purée.

**Menu de fête.** Filet de sole à la mousse de saumon avec sauce au safran; paupiette de veau aux girolles; poussins, garniture de légumes, gnocchi et sauce aux truffes; gobelet de chocolat rempli de crème à la rose, rose en pâte d'amandes et pulpe de framboises.

Restaurant für gesunde Ernährung
und Diätwettbewerb

Restaurant for healthy eating
and dietetic competition

Restaurants proposant une cuisine saine
et concours de plats diététiques

## „Restaurant für gesunde Ernährung"
## A "restaurant for healthy eating" / Un «restaurant diététique»

Die Wortverbindung „Restaurant für gesunde Ernährung" regt zum Nachdenken an und macht deutlich, wie verantwortungsbewußt heutzutage Köche und Köchinnen arbeiten. Gesunde Ernährung ist ein Trend, der in allen Gastronomiekategorien vollzogen wird. Vitaminreich, fettarm und kalorienreduziert sind Worte, die jeder Tischgast beherrscht und als Resultat von einem Menü erwartet.

Mit Stolz kann ich sagen, daß gerade hier die Köche und Köchinnen des Verbandes der Köche Deutschlands seit Jahren Wegbereiter und Fachleute der gesunden und natürlichen Ernährung sind. Die qualifizierte Ausbildung zum diätetisch geschulten Koch, ständige Weiterbildungsangebote aus unserer Seminarabteilung und Aufklärung durch unsere Beiräte sind Leistungen, die der Berufsfachverband mit und für seine Mitglieder erbringt.

Einer dieser unermüdlichen Helfer, Küchenmeister und diätetisch geschulter Koch Rolf Unsorg, leitet mit großem Sachverstand dieses Restaurant; ihm zur Seite stehen: Klaus-Wilfried Meyer, Bielefeld, Christian Lunau, Hamburg, Gerhard Becker, Bad Nauheim, Dieter Girg, Bad Dürrheim, Bernd Brunkhardt, Karben, und Franz-Xaver Bürkle, Bad Kreuznach.

The phrase "restaurant for healthy eating" makes you think, emphasizing the responsibility involved in the work of chefs and cooks these days. The trend towards healthy eating is currently asserting itself throughout all categories of the catering trade. Rich in vitamins, low-fat and calorie-reduced are phrases unterstood by every restaurant guest – and results he expects of the menu.

I am proud to say that the chefs and cooks in the Association of German Chefs have been trailblazers and experts for many years in exactly this sector of healthy and natural nutrition. The thorough apprenticeship leading to the qualification as dietician, the wide range of further training options provided by our seminar department and the information and advice supplied by our various committees are services provided by the association with the help of and on behalf of its members.

One of these untiring helpers, chef de cuisine and qualified dietician Rolf Unsorg, runs this restaurant expertly and competently. He is ably assisted by Klaus-Wilfried Meyer, Bielefeld, Christian Lunau, Hamburg, Gerhard Becker, Bad Nauheim, Dieter Girg, Bad Dürrheim, Bernd Brunkhardt, Karben, and Franz-Xaver Bürkle, Bad Kreuznach.

L'expression «restaurant diététique» invite à la réflexion et montre que, de nos jours, les cuisiniers et cuisinières sont conscients de leurs responsabilités. L'alimentation saine est une tendance actuelle dans la gastronomie et cela, quelle que soit sa catégorie. Les teneurs en vitamines, en graisses et en calories sont des notions familières à chaque client. Et en conséquence, il attend d'un menu qu'il soit vitaminé, pauvre en graisses et hypocalorique. Je peux dire avec fierté que les membres de la Fédération des Cuisiniers Allemands (Verband der Köche Deutschlands) ont fait depuis des années un travail de pionnier et de spécialiste dans le domaine de la cuisine saine et naturelle. A cet effet, la chambre professionnelle propose avec et pour ses membres une formation de cuisinier spécialisé en diététique et de nombreux séminaires de formation continue.

Un de ces membres infatigables, Rolf Unsorg, maître-cuisinier et spécialiste en diététique dirige avec une grande compétence ce restaurant. A ses côtés vous trouverez: Klaus-Wilfried Meyer, Bielefeld, Christian Lunau, Hamburg, Gerhard Becker, Bad Nauheim, Dieter Girg, Bad Dürrheim, Bernd Brunkhardt, Karben, et Franz-Xaver Bürkle, Bad Kreuznach.

Siegfried Schaber, Präsident des Verbandes der Köche Deutschland e. V.

# RESTAURANT FÜR GESUNDE ERNÄHRUNG

Sonntag, 11. Oktober 1992

## VORSPEISEN
**Bild 1**
*Mosaik von Lachs und Seeteufel in Limonenmarinade*                    DM 14, —
kcal 175, kJ 734, E 15,2, F 10,8, KH 2,0, Ball. 0, Chol. 22,9, BE 0
Geeignet für Reduktionskost, Diabetes mellitus, leichte Vollkost, Fettstoffwechselstörung

*Wachteleier auf Frankfurter Grüner Sauce, Kartoffelcrêpe*             DM 9, —
kcal 287, kJ 1.200, E 12,7, F 18,7, KH 13,8, Ball. 3,7, Chol. 255,3, BE 1

*Salat von Sojasprossen und Mango mit Lammschinken*                   DM 11,50
kcal 165, kJ 691, E 9,7, F 6,7, KH 15,4, Ball. 2,8, Chol. 24, BE 1

## SUPPEN
*Legierte Dinkelsuppe*                                                DM 4,50
kcal 75, kJ 314, E 3,0, F 2,8, KH 9,0, Ball. 1,9, Chol. 7,8, BE 0,5

*Rinderkraftbrühe mit Safranravioli*                                  DM 4, —
kcal 89, kJ 374, E 4,1, F 2,7, KH 12,1, Ball. 0,8, Chol. 39,6, BE 1

## VEGETARISCH
*Quinoa im Paprikamantel auf Kresseschaum, geschwenktes Gemüse*        DM 11, —
kcal 258, kJ 1.076, E 12,6, F 10,1, KH 27,8, Ball. 5,4, Chol. 86, BE 2

## FISCH
*Piccata vom Steinbeißerfilet, Salbei-Tomatensauce, Vollkornspaghetti, Lollo-Rosso-Radicchio-Salat
mit Karottenvinaigrette*                                              DM 16,50
kcal 352, kJ 1.471, E 34,1, F 11,8, KH 22,9, Ball. 3,8, Chol. 86, BE 2

## HAUPTGÄNGE
*Schweinelende auf altdeutsche Art, Hopfen-Malz-Sauce, geschmorter Wirsing,
Klöße von Pumpernickel*                                               DM 18, —
kcal 469, kJ 1.971, E 30,8, F 17,4, KH 43,5, Ball. 6,9, Chol. 110,8, BE 3
**Bild 2**
*Kapaunenbrust auf Blattspinat, Pinienkernsauce, Nocken von Polenta*   DM 15, —
kcal 349, kJ 1.460, E 43,8, F 9,5, KH 17,2, Ball. 3,6, Chol. 107,8, BE 1
Geeignet für Reduktionskost, Diabetes mellitus (unter Berechnung), leichte Vollkost, Fettstoffwechselstörung,
ballaststoffreiche Kost

*Marinierte Rehnüßchen auf Schattenmorellensauce, Kartoffel-Hirse-Roulade,
herbstliche Blattsalate mit Stockschwämmchen*                         DM 23, —
kcal 303, kJ 1.267, E 34,2, F 6,6, KH 22,8, Ball. 3,8, Chol. 173,8, BE 2

## DESSERTS
*Maronencreme mit Zimtpflaumen*                                       DM 5, —
kcal 170, kJ 713, E 5,2, F 9,6, KH 14,6, Ball. 0,7, Chol. 120,8, BE 1
**Bild 3**
*Beerensülze auf Honigjoghurt*                                        DM 5, —
kcal 123, kJ 515, E 2,8, F 5,9, KH 12,4, Ball. 1,4, Chol. 11,9, BE 1
Geeignet für Reduktionskost, Diabetes mellitus (unter Berechnung), leichte Vollkost, Fettstoffwechselstörung,
vegetarische Kostform (lacto/ovo lacto)

*Birnen-Feigen-Strudel mit Vanillesauce*                              DM 6, —
kcal 199, kJ 834, E 6,7, F 6,0, KH 29,0, Ball. 1,8, Chol. 101,3, BE 0

**Bild 1**

*Mosaik von Lachs und Seeteufel
in Limonenmarinade*

*Mosaic of salmon and monkfish
in a lime marinade*

*Mosaïque de saumon et de lotte en
marinade de citron vert*

◁ **Bild 2**

*Kapaunenbrust auf Blattspinat,
Pinienkernsauce, Nocken von Polenta*

*Breast of capon on a bed of spinach, pine
kernel sauce, polenta dumplings*

*Suprême de chapon sur épinards en
branche, sauce aux pignons, gnocchi de
polenta*

**Bild 3**

*Beerensülze auf Honigjoghurt*

*Jellied berries on honeyed yoghourt*

*Aspic de fruits rouges sur yaourt au miel*

# RESTAURANT FÜR GESUNDE ERNÄHRUNG

Montag, 12. Oktober 1992

## VORSPEISEN

**Bild 4**

*Tofu-Gemüse-Terrine mit Senfsabayon*     DM 8, —

kcal 150, kJ 627, E 7,4, F 9,9, KH 6,2, Ball. 1,6, Chol. 125, BE 0

Geeignet für Reduktionskost, Diabetes mellitus, leichte Vollkost, vegetarische Kostform (lacto/ovo lacto)

*Salat von Meeresfrüchten mit Anis-Ingwer-Dressing*     DM 14,50

kcal 145, kJ 552, E 11,1, F 2,9, KH 6,8, Ball. 3,8, Chol. 73, BE 0,5

*Kresse-Mango-Salat mit Kaninchenrückenfilet*     DM 13, —

kcal 202, kJ 843, E 16,5, F 8,1, KH 13,2, Ball. 3,0, Chol. 54, BE 1

## SUPPEN

*Blumenkohl-Brokkoli-Suppe mit Sonnenblumenkernen*     DM 4, —

kcal 93, kJ 390, E 4,3, F 6,7, KH 3,4, Ball. 1,5, Chol. 70, BE 0

*Klare Kalbsschwanzsuppe mit Graupen*     DM 5,50

kcal 58, kJ 241, E 3,5, F 1,2, KH 7,8, Ball. 1,4, Chol. 7, BE 0,5

## VEGETARISCH

**Bild 5**

*Asiatische Gemüsepfanne, Quinoa mit Korinthen*     DM 11, —

kcal 340, kJ 1.422, E 14,2, F 11,6, KH 41,2, Ball. 6,6, Chol. 0, BE 2,5

Geeignet für Reduktionskost, Diabetes mellitus (unter Berechnung), Fettstoffwechselstörung, vegetarische Kostform (lacto/ovo lacto), ballaststoffreiche Kost

## FISCH

*Egli-Lachs-Klößchen auf Kurkuma- und Spinatsauce, Vollkornreis mit roten Linsen, Chicorée- und Feldsalat*     DM 16, —

kcal 390, kJ 1.632, E 29,1, F 16,0, KH 31,7, Ball. 3,4, Chol. 51,6, BE 2,5

## HAUPTGÄNGE

*Rinderhochrippe im Wurzelsud mit Apfelkrensauce, Staudensellerie, Schnittlauchkartoffeln*     DM 15,50

kcal 422, kJ 1.765, E 26,3, F 22,7, KH 23, Ball. 7,4, Chol. 85,2, BE 1,5

*Medaillons vom Truthahn auf Maiscremesauce, Tomatenknöpfle, Zucchini-Alfalfa-Salat*     DM 16, —

kcal 446, kJ 1.868, E 43,7, F 11,1, KH 37,7, Ball. 2,6, Chol. 189, BE 2,5

*Spanferkelkeule mit Kümmeljus, gedämpftes Weißkraut, Kräuterschupfnudeln*     DM 17, —

kcal 479, kJ 2.004, E 29,2, F 20,3, KH 39,8, Ball. 6,1, Chol. 84, BE 3

## DESSERTS

*Creme von Cappuccino, Mandellikörsauce*     DM 5, —

kcal 159, kJ 679, E 6,5, F 10,3, KH 7,1, Ball. 0,2, Chol. 123, BE 0,5

**Bild 6**

*Nocken von Kefir auf dreierlei Fruchtsaucen*     DM 5,50

kcal 161, kJ 675, E 4,9, F 10,3, KH 10,4, Ball. 0,5, Chol. 32, BE 1

Geeignet für Reduktionskost, Diabetes mellitus (unter Berechnung), leichte Vollkost, Fettstoffwechselstörung, vegetarische Kostform (lacto/ovo lacto)

*Dukatenbuchteln auf Marillensauce*     DM 5, —

kcal 244, kJ 1.019, E 6,1, F 5,1, KH 42,2, Ball. 0,9, Chol. 2,1, BE 0

▷

**Bild 4**
*Tofu-Gemüse-Terrine mit Senfsabayon*
*Tofu and vegetable terrine with mustard zabaglione*
*Tofu-terrine de légumes au sabayon à la moutarde*

**Bild 5**
◁ *Asiatische Gemüsepfanne,*
*Quinoa mit Korinthen*
*Asian vegetable stir-fry, quinoa with currants*
*Poêlée asiatique de légumes, quinoa aux raisins de Corinthe*

**Bild 6**
*Nocken von Kefir auf dreierlei Fruchtsaucen*
*Knobs of kefir on three sorts of fruit sauce*
*Gnocchi de kéfir au coulis de trois fruits*

▷

# RESTAURANT FÜR GESUNDE ERNÄHRUNG

Dienstag, 13. Oktober 1992

## VORSPEISEN

*Hausgebeizter Sesamlachs mit Dialog von Linsen*  DM 14, —
kcal 249, kJ 1.045, E 18,3, F 13, KH 11,6, Ball. 3,6, Chol. 21, BE 1

**Bild 7**
*Kirschtomaten mit Mozzarella im Basilikumdressing*  DM 9,50
kcal 188, kJ 788, E 11,8, F 13,2, KH 3,9, Ball. 2,0, Chol. 23, BE 0
Geeignet für Diabetes mellitus, Fettstoffwechselstörung, vegetarische Kostform (lacto/ovo lacto)

*Herbstlicher Birnensalat mit Brust von der Maispoularde*  DM 9, —
kcal 142, kJ 594, E 10,8, F 3,9, KH 14,7, Ball. 2,9, Chol. 24, BE 1

## SUPPEN

*Auszug von Wurzelgemüsen mit Romanesco-Roulade*  DM 4, —
kcal 71, kJ 299, E 3,8, F 1,9, KH 9,3, Ball. 1,2, Chol. 40,8, BE 0,5

*Pfifferling-Rahmsuppe mit Rehklößchen*  DM 5,50
kcal 42, kJ 177, E 4,2, F 2,3, KH 0,8, Ball. 0,2, Chol. 23,5, BE 0

## VEGETARISCH

*Chinakohlröllchen auf Auberginenscheiben, Tomatencoulis, Lauch-Apfel-Salat*  DM 12, —
kcal 221, kJ 922, E 9,7, F 7,9, KH 26,3, Ball. 5,3, Chol. 39,7, BE 2

## FISCH

*Seezungenroulade mit Mangold auf Paprikasamtsauce, Kartoffel-Sesam-Zopf, Variation von Blattsalaten*  DM 25,50
kcal 328, kJ 1.369, E 32,8, F 12,1, KH 17,7, Ball. 3,4, Chol. 136, BE 1,5

## HAUPTGÄNGE

*Gebratenes Zwischenrippenstück, Knoblauchjus, Zucchini-Kartoffel-Gratin,*
*bunter Olivensalat mit Schafskäse*  DM 19,50
kcal 393, kJ 1.644, E 35,7, F 18,8, KH 14,9, Ball. 3,2, Chol. 182, BE 1

**Bild 8**
*Perlhuhnbrust mit Salmmusfüllung, Brokkoliröschen, Safran-Leinsamen-Nudeln*  DM 15,50
kcal 399, kJ 1.671, E 44,9, F 11,0, KH 25, Ball. 6,2, Chol. 151, BE 2
Geeignet für Reduktionskost, Diabetes mellitus (unter Berechnung), leichte Vollkost, ballaststoffreiche Kost

*Geschmorte Lammstelze, Pommery-Senf-Sauce, buntes Bohnengemüse, Kartoffel-Grünkern-Plätzchen*  DM 13,50
kcal 435, kJ 1.821, E 41,3, F 11,8, KH 37,4, Ball. 2,6, Chol. 236, BE 3

## DESSERTS

**Bild 9**
*Indische Teecreme mit Kumquatkompott*  DM 5, —
kcal 175, kJ 732, E 6,2, F 9,1, KH 12,0, Ball. 0, Chol. 121, BE 1
Geeignet für Reduktionskost, Diabetes mellitus (unter Berechnung), leichte Vollkost, vegetarische Kostform (lacto/ovo lacto)

*Variationen von Apfeltartlett*  DM 5,50
kcal 239, kJ 1.001, E 6,6, F 8,4, KH 32,5, Ball. 1,8, Chol. 99,1, BE 0

*Rüeblitorte mit Vanillesauce*  DM 5, —
kcal 259, kJ 1.081, E 8,4, F 16,2, KH 18, Ball. 1,9, Chol. 119, BE 1,5

**208**

**Bild 7**
*Kirschtomaten mit Mozzarella im Basilikumdressing*
*Cherry tomatoes with mozzarella and basil dressing*
*Tomates cerise à la mozzarella avec une sauce au basilic*

▷

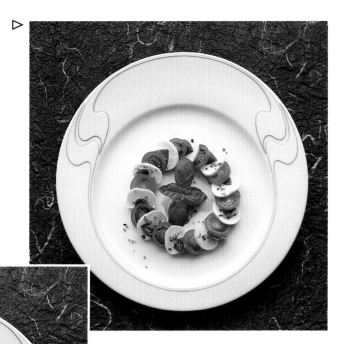

◁ **Bild 8**
*Perlhuhnbrust mit Salmmusfüllung, Brokkoliröschen, Safran-Leinsamen-Nudeln*
*Breast of guinea fowl stuffed with salmon mousse, broccoli florets, saffron linseed pasta*
*Suprême de pintade farci à la mousse de saumon, têtes de brocolis, pâtes aux graines de lin parfumées au safran*

**Bild 9**
*Indische Teecreme mit Kumquatkompott*
*Indian tea cream with kumquat compote*
*Crème indienne au thé à la compote de kumquat*

▷

# RESTAURANT FÜR GESUNDE ERNÄHRUNG

Mittwoch, 14. Oktober 1992

## VORSPEISEN

*Tatar von Matjes und Lachs mit roten Zwiebeln* — DM 13,—
kcal 283, kJ 1.182, E 17,9, F 18,9, KH 6,0, Ball. 1,3, Chol. 67,4, BE 0,5

**Bild 10**
*Zucchini-Roquefort-Tarte* — DM 8,50
kcal 256, kJ 1.072, E 7,9, F 17,2, KH 15,2, Ball. 3,3, Chol. 151,6, BE 1
Geeignet für Diabetes mellitus (unter Berechnung), vegetarische Kostform (lacto/ovo lacto), ballaststoffreiche Kost

*Carpaccio von Rettich und Radieschen mit Schinkenstreifen* — DM 7,50
kcal 84,1, kJ 351, E 6,9, F 4,9, KH 2,3, Ball. 1,3, Chol. 17,4, BE 0

## SUPPEN

*Geröstete Quinoasuppe* — DM 4,—
kcal 63, kJ 263, E 2,3, F 2,0, KH 7,1, Ball. 1,2, Chol. 0, BE 0,5

*Klare Tomatensuppe mit Quarknocken* — DM 4,50
kcal 23, kJ 96, E 2,3, F 0,4, KH 2,3, Ball. 1,0, Chol. 0,1, BE 0

## VEGETARISCH

*Ragout von Waldpilzen, bunte Nudeln, Brokkoli-Blumenkohl-Salat* — DM 13,50
kcal 301, kJ 1.279, E 14,7, F 11,1, KH 32,9, Ball. 5,6, Chol. 105, BE 2

## FISCH

*Gespicktes Blaulengfilet mit Safransauce, grüner Spargel, roter Camargue-Reis* — DM 18,—
kcal 309, kJ 1.297, E 34,8, F 4,4, KH 27,7, Ball. 2,7, Chol. 123, BE 2

## HAUPTGÄNGE

*Kalbfleischröllchen mit Shiitakefüllung, Sauerrahmsauce, Kartoffel-Gemüse-Rösti,*
*Feldsalat mit Knoblauchcroûtons* — DM 19,50
kcal 329, kJ 1.380, E 34,7, F 8,9, KH 23,7, Ball. 3,9, Chol. 141, BE 2

**Bild 11**
*Junge Wachteln mit Tofukern, Kürbisgemüse mit Koriander, Kartoffelpastetchen* — DM 14,50
kcal 389, kJ 1.625, E 41,2, F 10,4, KH 26, Ball. 3,9, Chol. 95, BE 2
Geeignet für Reduktionskost, Diabetes mellitus (unter Berechnung), Fettstoffwechselstörung, leichte Vollkost

*Hasenrücken im Strudelteig, Hagebuttensauce, kleiner Rosenkohl, Haselnußspätzle* — DM 18,50
kcal 478, kJ 2.027, E 40,4, F 15,1, KH 42,0, Ball. 6,8, Chol. 187, BE 2,5

## DESSERTS

**Bild 12**
*Reispralinen auf fruchtigen Saucen* — DM 6,—
kcal 232, kJ 973, E 6,8, F 12,3, KH 22,4, Ball. 2,1, Chol. 15,1, BE 1,5
Geeignet für Diabetes mellitus (unter Berechnung), leichte Vollkost, Fettstoffwechselstörung,
vegetarische Kostform (lacto/ovo lacto)

*Guglhupf von Joghurtcreme* — DM 5,—
kcal 110, kJ 461, E 3,5, F 7,4, KH 6,5, Ball. 0,8, Chol. 24,4, BE 0,5

*Gratin von exotischen Früchten* — DM 5,—
kcal 199, kJ 841, E 7,3, F 8,2, KH 23, Ball. 1,3, Chol. 110, BE 0

**Bild 10**
*Zucchini-Roquefort-Tarte*
Courgette and roquefort flan
Tarte aux courgettes et au roquefort

▷

◁ **Bild 11**
*Junge Wachtel mit Tofukern, Kürbisgemüse mit Koriander, Kartoffelpastetchen*
Young quail with tofu filling, pumpkin with coriander, potato pasties
Cailleteau au tofu, potiron à la coriandre, petit paté de pommes de terre

**Bild 12**
*Reispralinen auf fruchtigen Saucen*
Rice pralines on fruit sauces
Bouchée chocolatée au riz sur coulis de fruits

▷

**211**

# RESTAURANT FÜR GESUNDE ERNÄHRUNG

Donnerstag, 15. Oktober 1992

## VORSPEISEN

**Bild 13**

*Rösti von Buchweizen mit Kaisergranat, Senf-Dill-Sauce*     DM 13, —
kcal 216, kJ 903, E 15,2, F 5,6, KH 24,4, Ball. 1,8, Chol. 96, BE 2
Geeignet für Reduktionskost, Diabetes mellitus (unter Berechnung), Fettstoffwechselstörung

*Tomaten mit Ziegenkäse und kleinem Ratatouille in Basilikum*     DM 8, —
kcal 148, kJ 618, E 8,6, F 9,5, KH 5,4, Ball. 2,7, Chol. 36, BE 0

*Salat von erlesenen Gemüsen mit Perlhuhnbrüstchen*     DM 11, —
kcal 115, kJ 479, E 13,5, F 2,7, KH 7,8, Ball. 4, Chol. 24, BE 0,5

## SUPPEN

*Italienische Gemüsesuppe*     DM 4, —
kcal 39, kJ 163, E 2,7, F 0,9, KH 4,3, Ball. 1,3, Chol. 3,6, BE 0

*Rinderbrühe mit Vollkornklößchen*     DM 4, —
kcal 109, kJ 457, E 3,2, F 7,2, KH 6,9, Ball. 0,6, Chol. 39, BE 0,5

## VEGETARISCH

**Bild 14**

*Brokkoliroulade, mit Cheddar-Käse überbacken, Sesamkarotten, Rahmchampignons*     DM 11,50
kcal 351, kJ 1.467, E 14,6, F 25, KH 14,3, Ball. 9,5, Chol. 149, BE 1
Geeignet für Reduktionskost, Diabetes mellitus (unter Berechnung), vegetarische Kostform (lacto/ovo lacto), ballaststoffreiche Kost

## FISCH

*Arrangement von Edelfischen in Hummersauce, Hirsotto, Salate vom Markt mit frischen Keimlingen*     DM 17,50
kcal 347, kJ 1.451, E 33,8, F 8,4, KH 29,3, Ball. 2,4, Chol. 126, BE 2

## HAUPTGÄNGE

*Kalbsragout nach Osso Bucco, Dinkelnudeln mit Linsen, herbstliche Salate mit Erbsenschoten*     DM 16,50
kcal 445, kJ 1.862, E 43,8, F 10,2, KH 39, Ball. 2,3, Chol. 104, BE 3

*Geschmorte Kaninchenkeule mit Ingwer-Hagebutten-Sauce, kleine Rübchen, Nußkartoffeln*     DM 18, —
kcal 301, kJ 1.263, E 32,9, F 6,2, KH 25,4, Ball. 7,2, Chol. 93, BE 1,5

*Gourmetspieß auf Gemüserisotto, Lollo-Rosso-Radicchio-Salat mit Traubenkernöl*     DM 15,50
kcal 319, kJ 1.333, E 32,1, F 7,2, KH 25,9, Ball. 2,8, Chol. 77, BE 2

## DESSERTS

*Müsliparfait mit marinierten Früchten*     DM 6, —
kcal 247, kJ 1.032, E 7,2, F 12,4, KH 24,2, Ball. 2,7, Chol. 120, BE 1,5

*Gewürzcreme auf Holundersauce*     DM 5, —
kcal 167, kJ 704, E 5,1, F 7,1, KH 16,5, Ball. 0,7, Chol. 109, BE 1

**Bild 15**

*Frankfurter Pudding auf Sachsenhäuser Apfelsauce*     DM 5,50
kcal 262, kJ 1.105, E 9,6, F 12,6, KH 23, Ball. 1,4, Chol. 99, BE 2
Geeignet für Diabetes mellitus (unter Berechnung), leichte Vollkost, Fettstoffwechselstörung, vegetarische Kostform (lacto/ovo lacto)

**Bild 13**

*Rösti von Buchweizen mit Kaisergranat,
Senf-Dill-Sauce*

Buckwheat pancakes with prawns, mustard
and dill sauce

Galette de sarrasin aux langoustines, sauce
moutarde à l'aneth

▷

◁ **Bild 14**

*Brokkoliroulade, mit Cheddar-Käse
überbacken, Sesamkarotten, Rahmchampignons*

Broccoli roulade au gratin, sesame carrots,
creamed mushrooms

*Roulade de brocolis gratinée au cheddar,
carottes au sésame, champignons à la crème*

**Bild 15**

Frankfurter Pudding auf Sachsenhäuser
Apfelsauce

Frankfurt pudding with Sachsenhäuser
apple sauce

Pouding de Francfort au coulis de pommes
de Sachsenhausen

▷

**213**

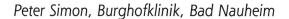

**Purinarme Kost.** 1. Terrine von Wurzelgemüse und Tofu auf Kerbelschaum, Vollkornbrioche;   2. Seezungenfilet im Weinblatt, Limonensauce, buntes Paprikagemüse, Reisvariationen;   3. Kartoffelpastete mit Pimento und Leinsamen auf Tomatencoulis; gemischtes Bohnenragout.   4. Buttermilchtörtchen mit Mandarinen und Johannisbeeren auf Holundermark.

**Low-purine diet.** 1. Terrine of root vegetables and tofu with chervil mousse, wholemeal brioche;   2. fillet of sole in a vine leaf, lime sauce, mixed peppers, rice variations;   3. potato pasty with pimento and linseed on tomato coulis, bean ragout;   4. buttermilk tartlets with mandarins and redcurrants on elderberry puree.

**Alimentation pauvre en purines.** 1. Terrine de tubercules et tofu sur mousse de cerfeuil, brioche à la farine complète;   2. filet de sole en feuille de vigne sauce au limon, poivrons multicolores, variations de riz;   3. pâté de pommes de terre au piment et aux graines de lin sur coulis de tomates, mélange de haricots en ragoût;   4. tartelettes au petit lait avec mandarines et groseilles sur pulpe de sureau.

**214**

**Reduktionskost.** 1. Knäckebrot mit Radieschen, Tomate, Gurke und Gartenkresse; 2. pochierte Perlhuhnbrust, mit Basilikum gefüllt, in Roggengrassauce, gefülltes weißes Rübchen mit Rote-Bete-Püree, Mangoldgemüse, Champignonkartoffeln; 3. Tofuklößchen mit Fruchtsaucen, Zitronenmelisse.

**Reducing diet.** Crisbread with radishes, tomato, cucumber, and garden cress; 2. poached breast of guinea fowl with basil stuffing and rye grass sauce, stuffed white turnip with beetroot purée, Swiss chard, potatoes, and mushrooms; 3. Tofu dumplings with various fruit sauces, lemon balm.

**Alimentation hypocalorique.** 1. Pain suédois avec radis roses, tomate, concombre et cresson du jardin; 2. suprême de pintade poché farci au basilic en sauce de feuilles de seigle, petit navet farci à la purée de betteraves rouges, bettes, pommes de terre aux champignons; 3. petites boulettes de tofu avec coulis de fruits, citronelle.

**Purinarme Kost.** 1. Salatteller mit Kräuterjoghurt und Pampelmusenfilets; 2. Polenta mit Gemüsen vom Grill;  3. Schokoladenterrine mit Äpfeln und Vanille-sauce.

**Low-purine diet.** 1. Mixed salad with herb yoghurt dressing and fillets of grape-fruit;  2. polenta gnocchi with grilled vegetables;  3. chocolate terrine with apples and vanilla sauce.

**Alimentation pauvre en purines.** 1. Assiette de salades avec yogourt aux fines herbes et quartiers de pamplemousses;  2. polenta aux légumes grillés;  3. terrine au chocolat avec pommes et sauce vanille.

**Reduktionskost.** 1. Vollkornkanapees mit buntem Hüttenkäse, marinierte Gemüserauten;  2. Masthähnchenbrustscheiben mit Füllung von Möhren und Porree, herbstliches Gemüsebukett, Leinsamen-Kartoffel-Zopf;  3. Joghurtterrine auf Fürst-Pückler-Art;  4. Variationen von Roastbeef, Bündner Fleisch, gebeizter Zander, Tatar mit Wachtelei, Kerbel-Schichtkäse, Harzer Rolle, Ballaststoffbrötchen.

**Reducing diet.** 1. Wholemeal canapés with cottage cheese, marinated vegetable;  2. slices of capon breast, vegetables stuffing, bouquet of vegetables, linseed and potato plait;  3. "Fürst Pückler" yoghurt terrine;  4. roast beef, smoked beef, pickled pikeperch, steak tartar, chervil curd cheese, Harz cheese, high-fibre rolls.

**Alimentation hypocalorique.** 1. Canapés de farine complète avec fromage frais, losanges de légumes marinés;  2. tranches de blanc de poulet engraissé farcies de légumes, bouquet de légumes, tresse de pommes de terre aux graines de lin; 3. terrine de yogourt à la manière «Fürst Pückler»;  4. présentations variées de roastbeef, viande des grisons, sandre marinée, tartare avec œuf de caille, fromage frais au cerfeuil, rouleau de fromage du Harz, petits pains aux fibres.

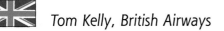 

**Diabetis mellitus.** 1. Seezungenröllchen auf Safransauce mit Krebsschwänzen, junge Gemüse, Wildreis;   2. gegrillte Kalbsmedaillons auf Tomatencoulis, Safran- und Spinatnudeln;   3. gedünstete Waldpilze.

**Diabetes mellitus.** 1. Paupiettes of sole on saffron sauce with crayfish tails, young vegetables, wild rice;   2. grilled veal medallions on tomato cullis, saffron, and spinach pasta;   3. braised wild mushrooms.

**Diabète mellitus.** 1. Paupiettes de soles sur sauce au safran avec queues d'écrevisses, légumes extra-fins, riz sauvage;   2. médaillons de veau grillés sur coulis de tomates, nouilles aux épinards et au safran;   3. champignons des bois à l'étuvée.

*Tom Kelly, British Airways*

**Reduktionskost.** 1. Kräuterpfannkuchen mit Pimentogemüse und gegrillten Kalbsmedaillons;   2. Schinkensandwich, Eicreme-Schinken-Roulade, marinierte grüne Spargelspitzen;   3. gefülltes Poulardenbrüstchen auf Madeirasauce, Sellerie- und Karottenstreifen, kleine Pellkartoffeln;   4. Fruchtigel mit Apfelspalten und Himbeeren.

**Reducing diet.** 1. Herb pancake with pimento vegetables and grilled medallions of veal;   2. ham sandwich, ham and egg roulade, marinated green asparagus tips; 3. stuffed chicken breast with madeira sauce, celeriac and carrot julienne, small jacket potatoes;   4. fruit hedgehog with apple slices and raspberries.

**Alimentation hypocalorique.** 1. Crêpe aux fines herbes avec légumes au piment et médaillons de veau grillés;   2. sandwich de jambon, roulade à la crème aux œufs et au jambon, pointes d'asperges vertes assaisonnées;   3. petits suprême de poularde farcis sur sauce au madère, julienne de céleri et de carottes, petites pommes de terre;   4. hérisson de fruits avec quartiers de pommes et framboises.

**Diabetis mellitus.** 1. Heißgeräucherter Lachs mit Garnelenmousse auf Senfsauce; 2. mit Morchelfarce gefüllter Kaninchenrücken, angebratene Bohnen, Zwiebeln und Möhren, Portweinsauce;   3. Brot-und-Butter-Auflauf mit Vanillesauce.

**Diabetes mellitus.** 1. Hot-smoked salmon with shrimp mousse and mustard sauce;   2. saddle of rabbit with morel forcemeat stuffing, lightly fried beans, onions, and carrots, port wine sauce;   3. bread and butter pudding with vanilla sauce.

**Diabèt mellitus.** 1. Saumon fumé à chaud avec mousse de crevettes sur sauce moutarde;   2. râble de lapin farci aux morilles, haricots, oignons et carottes sautés, sauce au porto;   3. pouding au pain et au beurre avec sauce vanille.

**Diabetes mellitus.** 1. Schinkenschaum mit Röstbrot und marinierten Pilzen; 2. Putenroulade mit Pimentos und Spinat, Möhrenbündel, schwarze Nudeln; 3. Brandteigschwan mit Vanillecreme auf Beerengelee.

**Diabetes mellitus.** 1. Ham mousse with fried bread and marinated mushrooms; 2. turkey roll with sweet peppers and spinach, carrot bunches, black pasta; 3. choux pastry swan with vanilla cream and jellied berries.

**Diabète mellitus.** 1. Mousse de jambon avec pain grillé et champignons marinés; 2. paupiette de dinde aux piments et aux épinards, botte de carottes, nouilles noires;   3. cygne en pâte à choux avec crème à la vanille sur gelée de baies.

Schaustücke, Tafelaufsätze
Dekorationsstücke
Show-pieces, table decorations
decorative items
Pièces d'exposition, surtouts de table
pièces de décoration

**„Gobelin-Schmuckdose".** Schaustück aus Tragant und Spritzglasur.

**"Tapestry jewel box".** Show-piece of tragacanth and royal icing.

**«Coffret à bijoux en Gobelins».** Pièce d'exposition en gomme adragante et glace royale.

„**Die Zeit zieht vorüber".** Schaustück aus Gelatinezucker, Kuvertüre und Spritzglasur.

**"Time goes by".** Show-piece of pastillage, couverture, and royal icing.

**«Le temps passe».** Pièce d'exposition en pastillage, couverture et glace royale.

**„Kanada 125".** Schnitzerei aus weißer und dunkler Kuvertüre.

**"Canada 125".** Carvings of white und dark couverture.

**«Canada 125».** Sculpture en couverture blanche et noire.

**„Freunde".** Aus Pastillage und Lebensmittelfarben hergestellt.

**"Friends".** Made of pastillage and food colouring.

**«Amis».** Réalisé en pastillage et colorants alimentaires.

**„Mädchen im Frühling".** Marzipanarbeit.

**"Girl in springtime".** Marzipan work.

**«Jeune fille au printemps».** Réalisation en pâte d'amandes.

**„Ente fliegt auf".** Aus Salzteig modellierte Ente.

**"Duck on the wing".** Duck made of salt dough.

**«Le canard prend son envol».** Canard modelé en pâte à sel.

**„Im Bibergrund".** Schokoladenschnitzerei.

**"Beaver valley".** Chocolate carving.

**«Au fond du castor».** Sculpture en chocolat.

**„Und ab geht die Post".** Marzipanarbeit.

**"Off we go".** Marzipan work.

**«Et hop c'est parti».** Réalisation en pâte d'amandes.

**„Spielland".** Aus Marzipan modelliertes Schaustück.

**"Toyland".** Show-piece made of marzipan.

**«Terrain de jeux».** Pièce d'exposition modelée en pâte d'amandes.

**„Der Graureiher".** Aus Pastillage gefertigter Reiher.

**"The Heron".** Heron made of pastillage.

**«Héron cendré».** Héron réalisé en pastillage.

**„Erforschung der entlegenen Gebiete Australiens".** Margarine mit Lebensmittelfarben.

**"Exploring the outback of Australia".** Margarine and food colouring.

**«Exploration des terres reculées d'Australie».** Margarine et colorants alimentaires.

**„Der Cowboy".** Aus weißer, heller und dunkler Kuvertüre geschnitzte Skulptur.

**"The Cowboy".** Sculpture carved in white, light, and dark couverture.

**«Le cow-boy».** Sculpture taillée dans la couverture blanche, au lait et noire.

**„Die Brigade".** Aus Speisefett modellierte Küchenbrigade.

**"The Brigade".** Kitchen brigade moulded in edible fat.

**«Brigade».** Brigade de cuisine modelée en graisse.

**„Der Gamsjäger".** Aus Marzipan modelliert.

**"The Chamois Huntsman".** Moulded in marzipan.

**«Chasseur de chamois».** Modelé en massepain.

R. Deerdal, Noga Hilton, Genf

**„... er spricht mit den Vögeln".** Schaustück aus gezogenem Zucker und Pastillage.

**"... he speaks to the birds".** Show-piece made of pulled sugar and pastillage.

**«... il parle aux oiseaux».** Pièce d'exposition en sucre tourné et en pastillage.

„Gemüsebauer". Bauer mit Gemüsestand, aus Salzteig gefertigt.

"Market gardener". Gardener with vegetable stall made of salt dough.

«Maraîcher». Paysan avec étal de légumes réalisé en pâte à sel.

**„Hundeliebe".** Skulptur aus Margarine.

**"Canine love".** Margarine sculpture.

**«Un amour de chien».** Sculpture en margarine.

**„Die Symphonie der Adler".** Skulptur aus Margarine modelliert.

**"Symphony of eagles".** Sculpture moulded in margarine.

**«La symphonie de l'aigle».** Sculpture modelée en margarine.

**„Käseschnitzerei."** Aus Käse gefertigt.

**"Cheese carving".** Made of cheese.

**«Sculpture de fromage».** Réalisée en fromage.

**„Blumengruß".** Gemüseschnitzerei.

**"Floral greeting".** Vegetable carving.

**«Salutation fleurie».** Légumes sculptés.

**„Hufschmied auf dem Lande".** Modell aus Margarine gefertigt.

**"Country blacksmith".** Model made of magarine.

**«Maréchal-ferrant à la campagne».** Maquette réalisée en margarine.

**„Rebellion".** Schaustück aus Margarine gefertigt.

**"Rebellion".** Show-piece made of margarine.

**«Rebellion».** Pièce d'exposition réalisée en margarine.

**Die „Great Barrier Reef"-Musik-Fantasie.** Kapelle aus den Panzern verschiedener Krustentiere gefertigt.

**"Great Barrier Reef" music fantasy.** Band made from the shells of various crustaceans.

**La «grande barrière de corail» fantaisie musicale.** Orchestre réalisé avec des carapaces de crustacés.

**„Der Geist Asiens".** Schnitzerei aus Gemüsen.

**"The spirit of Asia".** Vegetable carvings.

**«L'âme de l'Asie».** Légumes sculptés.

**„Mein Mädchentraum".** Schaustück aus gegossenem und gezogenem Zucker.

**"My girlhood dream".** Show-piece made of poured and pulled sugar.

**«Mon rêve de jeune fille».** Pièce de décoration en sucre moulé et tourné.

**„Kindermärchen – Schokoladenfantasie".** Aus weißer und dunkler Kuvertüre mit Kakaomalerei gefertigtes Schaustück.

**"Children's fairy tale – fantasy in chocolate".** Show-piece made of white and dark couverture with cocoa painting.

**«Conte pour les enfants – fantaisie en chocolat».** Pièce d'exposition réalisée en couverture blanche et noire et décorée avec du cacao.

**„Frühlingsanfang im Byodion-Tempel".** Aus Gelatinezucker gefertigt.

**"The first day of spring in the Byodion temple".** Made of pastillage.

**«Apparition du printemps au temple de Byodion».** Réalisation en pastillage.

**„Russische Kapelle".** Aus Kuvertüre hergestellter Tafelaufsatz.

**"Russian chapel".** Table ornament made of couverture.

**«Chapelle russe».** Surtout de table réalisé en couverture.

„**Mausefalle".** Kakaomalerei auf weißer Kuvertüre.

"**Mousetrap".** Cocoa painting on white couverture.

«**Souricière».** Peinture au cacao sur couverture blanche.

**„Fluß des Lebens".** Moderne Schnitzerei aus weißer Kuvertüre.

**"The flow of life".** Modern carving of white couverture.

**«Le fleuve de la vie».** Sculpture moderne en couverture blanche.

**Die arktische Tafelrunde.** Eine Eismeißelarbeit, die die meisterliche Hand im Umgang mit diesem schwierigen Material verrät.

**The Arctic table.** An ice sculpture which reveals an expert hand in working with this difficult material.

**Une table de l'arctique.** Un travail de la glace au burin qui révèle la main du maître sur cette matière difficile à travailler.

**Der Geist der Freiheit.** Diese Eismeißelarbeit verrät die Hand des Könners und wird als Attraktion bei einem Büfett immer Anerkennung finden.

**The spirit of freedom.** This ice sculpture reveals the hand of a connoisseur and will be a greatly appreciated attraction at any buffet.

**L'esprit de la liberté.** Ce travail de la glace au burin trahit la main du maître et sera toujours apprécié comme attraction d'un buffet.

3

Patisserie
Patisserie
Pâtisserie

**Tagesdesserts „Meine Art".** Rhabarberhalbgefrorenes mit Rhabarbercoulis und Vanillemousse; weißes Schokoladenflammeri mit Mandarinenfilets im Schokoladenkörbchen und Mandarinensauce; Erdbeertimbale mit Grand-Marnier-Sauce; Törtchen von wilden Holzäpfeln mit Calvadossauce.

**Desserts of the day "my way".** Rhubarb sorbet with rhubarb cullis and vanilla mousse; white chocolate flummery with mandarin segments in a chocolate basket with mandarin sauce; strawberry timbale with Grand Marnier sauce; wild crab-apple tartlets with calvados sauce.

**Desserts du jour «à ma façon».** Crème semi-glacée de rhubarbe avec coulis de rhubarbe et mousse à la vanille; gâteau de semoule au chocolat blanc avec quartiers de mandarines en petite corbeille de chocolat et sauce à la mandarine; timbale de fraises avec sauce au Grand Marnier; tartelettes de pommes sauvages avec sauce au calvados.

**Tagesdesserts zu Festen.** Kokosschneeball mit Mangosauce; süßer Baumstamm nach Holzhauerart; Pistazienvacherin „Goldsterne"; Mandarinen-Zitronen-Eis „Adventszeit".

**Festive desserts of the day.** Coconut snowball with mango sauce; "Lumberjack" sweet chocolate log; "Gold star" pistachio vacherin; "Advent" mandarin and lemon ice cream.

**Desserts du jour pour les fêtes.** Boule de neige à la noix de coco avec sauce à la mangue; bûche sucrée «à la bûcheronne»; vacherin aux pistaches «étoile d'or»; glace à la mandarine et au citron «l'Avent».

**Tagesdessert zu verschiedenen Festen.** Baiserschalen mit Beeren, Mangospalten und Ingwereis; Champagnercreme auf Kiwisauce mit Seerosenblüten aus Kuvertüre; Kinderdessert aus Joghurtcreme mit modelliertem Marzipan; Orangenmousse im Körbchen aus Bitterschokolade mit Beeren.

**Desserts of the day for festive occasions.** Meringue shells with berries, mango segments and ginger ice cream; champagne cream and kiwi fruit sauce, with waterlily blossom made of couverture; children's dessert of yogurt cream with moulded marzipan; orange mousse in baskets of plain chocolate with berries.

**Desserts de fêtes.** Coupes en meringue avec petits fruits, quartiers de mangue et glace au gingembre; crème au champagne sur sauce au kiwi avec fleurs de nénuphar en couverture; dessert pour enfant composé de crème au yogourt avec pâte d'amandes modelée; mousse à l'orange en petite corbeille de chocolat amer avec fruits.

**Schottische Tagesdesserts.** Erdbeercreme mit Honig im Hippenkorb mit Blüte aus gezogenem Zucker; Parfait von Vanille und Johannisbeeren mit Hippenblättern; Herz aus Mango-, Himbeer- und Pralinencreme mit Marzipandekor und Mangosauce; Waldbeeren im Schokoladenkorb mit Heidelbeersauce.

**Scottish desserts of the day.** Strawberry cream with honey in an almond wafer basket with pulled sugar flower; vanilla and redcurrant parfait with almond wafer leaves; heart of mango, raspberry, and praline cream with marzipan décor and mango sauce; fruits of the forest in a chocolate basket with bilberry sauce.

**Desserts du jour écossais.** Crème à la fraise en corbeille de pâte à tuiles avec fleurs en sucre tourné; parfait à la vanille et à la groseille avec feuilles en pâte à tuiles; Cœur en crème de mangue, de framboise et de pralines avec décor en pâte d'amandes et coulis de mangue; fruits des bois en corbeille de chocolat avec coulis de myrtilles.

**Tagesdessert-Variationen.** Savarin mit pochierten und glasierten Äpfeln auf Johannisbeersauce; Dessertstück mit Nugat- und Preiselbeercreme, Vanillesauce; Baumkuchenroulade mit Kirschcreme und -sauce; Reisdessert mit Früchteperlen.

**Dessert of the day variations.** Savarin with poached and glazed apples on redcurrant sauce; dessert slice of nougat and cranberry cream, vanilla sauce; pyramid cake roulade with cherry cream and sauce; rice pudding with dainty fruit balls.

**Assortiment de desserts du jour.** Savarin avec pommes pochées et glacées sur coulis de groseilles; élément de dessert au nougat et à la crème d'airelles, sauce vanille; roulé de pièce montée à la crème et au coulis de cerises; dessert au riz avec perles de fruits.

**Tagesdessert „Die vier Geheimnisse".** Schokoladenmousse mit Mint-, Limonen- und Brombeersauce; Walnuß-Honigcreme im Nußhippenkorb mit Mango-Ingwer-Sauce; Pralinencreme mit Beeren und drei Saucen; Schokoladenschatulle mit Weincreme, Beeren und Himbeermark.

**"Four secrets" dessert of the day.** Chocolate mousse with mint, lime and blackberry sauce; walnut and honey cream in a nut wafer basket with mango and ginger sauce; praline cream with berries and three sauces; chocolate case with wine cream, berries, and raspberry purée.

**Dessert du jour «les quatre secrets».** Mousse au chocolat avec sauces à la menthe, au limon et à la mûre; crème aux noix et au miel en corbeille de pâte à tuiles aux noix avec sauce à la menthe parfumée au gingembre; crème pralinée aux fruits et aux trois sauces; cassette en chocolat garnie de crème au vin, de fruits et de pulpe de framboise.

*Hans Bussinger, Jacobs Suchard, Neuchâtel*

**Exquisite Tagesdesserts.** Törtchen, gefüllt mit marinierten Feigen und gerösteten Mandeln; Rouladen mit Pflaumen-, Birnen- und Apfelcreme, garniert mit Krokantstern; Parfait aus Joghurt mit Himbeeren und Pistazien mit den drei passenden Saucen; Birnensorbet im Füllhorn mit Himbeersauce und Früchten.

**Exquisite desserts of the day.** Tartlets filled with macerated figs and toasted almonds; roulade of plum, pear and apple cream garnished with brittle star; yogurt parfait with raspberries and pistachios and the three matching sauces; pear sorbet in a cornet with raspberry sauce and fruits.

**Délicieux desserts du jour.** Tartelettes garnies de figues macérées et d'amandes grillées; roulés garnis à la crème de prunes, de poires et de pommes avec étoile en pralin; parfait au yogourt avec framboises et pistaches et les trois sauces correspondantes; sorbet à la poire en corne d'abondance avec coulis de framboises et de fruits.

**Nordische Tagesdesserts.** Mousse von bitterer Schokolade mit Orangensauce und Johannisbeeren; Melonensalat im Baumkuchenfaß mit Honigsauce; frische Früchte in der Schokoladenschatulle mit Cassissauce; bayrische Creme mit Himbeeren und ihrem Mark.

**Nordic desserts of the day.** Plain chocolate mousse with orange sauce and redcurrants; melon salad in a pyramid cake barrel with honey sauce; chocolate case filled with fresh fruits and blackcurrant sauce; crème bavaroise with raspberries and raspberry puree.

**Desserts du jour nordiques.** Mousse au chocolat amer avec sauce à l'orange et aux groseilles; salade de melon en fût de pièce montée avec sauce au miel; fruits frais en cassette de chocolat avec sauce au cassis; bavarois aux framboises.

**Tagesdesserts „Waroona".** Schnee-Eier mit Pistazien im Schokoladenfiligran mit Mandarinensauce; Beeren in der Hippenkarre mit Vanillecreme und Fruchtcoulis; süße Kürbismousse mit Zimtsabayon; Rhabarbertimbale mit Makronenkragen und Zimt-Mascarpone-Sauce.

**"Waroona" desserts of the day.** Snow eggs with pistachios in chocolate filigree with mandarin sauce; berries in an almond wafer cart with vanilla cream and fruit cullis; sweet pumpkin purée with cinnamon sabayon; rhubarb timbale with macaroon ruff and cinnamon and mascarpone sauce.

**Desserts du jour «Waroona».** Œufs à la neige avec pistaches en filigrane de chocolat avec une sauce aux mandarines; petits fruits en brouette de pâte à tuiles avec crème à la vanille et coulis de fruits; mousse sucrée de potiron avec sabayon à la cannelle; timbale de rhubarbe avec turban de macaron et sauce au mascarpone parfumée à la cannelle.

**Tagesdessert-Auswahl.** Terrine von Haselnußcreme auf schwarz-weißem Biskuit mit Himbeersauce; in Preiselbeersaft pochierte Birne mit Haselnußgebäck; Baiserblüten und Hippenschale mit Limettencreme; Schokoladenmousse im Körbchen aus Kuvertürefiligran.

**Selection of desserts of the day.** Hazelnut cream terrine made of light and dark sponge with raspberry sauce; pear poached in cranberry juice with hazelnut biscuits; meringue blossoms and almond wafer shell with lime cream; chocolate mousse in a basket of couverture filigree.

**Choix de desserts du jour.** Terrine de crème à la noisette en biscuit noir et blanc avec sauce aux framboises; poire pochée au jus d'airelles avec petit gâteau à la noisette; fleurs en meringue et coupe en pâte à tuiles avec crème à la limette; mousse au chocolat en petite corbeille de filigrane de couverture.

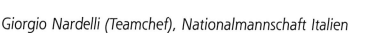 

**Ansprechende Tagesdesserts.** Füllhorn aus weißer Schokolade mit Pfefferminzeis und Mohnsavarin mit Waldfrüchten; Himbeerzuccotto mit Sahnesauce; Reistimbale, mit Äpfeln überbacken, Grappasauce; Berghonig-Halbgefrorenes mit Orangensauce.

**Attractive desserts of the day.** White chocolate horn filled with peppermint ice cream and poppyseed savarin with fruits of the forest; raspberry zuccotto with fresh cream sauce; rice and apple timbale au gratin, grappa sauce; mountain honey sorbet with orange sauce.

**Desserts du jour évocateurs.** Corne d'abondance en chocolat blanc avec glace à la menthe et savarin au pavot avec fruits des bois; zuccotto aux framboises avec sauce à la crème; timbale de riz aux pommes gratinées, sauce à la grappa; crème semi-glacée au miel de montagne avec sauce à l'orange.

**Tagesdesserts zur Wahl.** Horn aus Macadamiahippen mit marinierten Früchten; Mango-Cassata mit Brombeerkern und Orangensauce; Mousse von weißer Schokolade mit Marzipanrose und Feigensauce; Biskuitrolle mit Vanille- und Nugatcreme, Mango- und Erdbeersauce.

**Selection of desserts of the day.** Cornet of macadamia wafers with macerated fruits; mango cassata with blackberry centre and orange sauce; white chocolate mousse with marzipan rose and fig sauce; Swiss roll with vanilla and nougat cream, mango and strawberry sauce.

**Desserts du jour au choix.** Corne en pâte à tuiles au macadamia avec des fruits macérés; cassata à la mangue avec cœur de mûres et sauce à l'orange; mousse de chocolat blanc avec rose en pâte d'amandes et sauce aux figues; biscuit roulé à la crème à la vanille et à la crème au nougat, coulis de mangue et de fraises.

*Brendan O'Neill (Teamchef), Nationalmannschaft Irland*

**Köstliche Tagesdesserts.** Torte von weißer und dunkler Schokolade mit Orangensauce; Timbale von Feige und Passionsfrucht mit Pfirsich und Mango auf Kapstachelbeersauce; Krokantherz mit Pistazien-Pralinenfüllung; Rotweinbiskuit, Vanillecreme mit Brombeerspiegel, Hippenkörbchen mit Beeren und drei Saucen.

**Delicious desserts of the day.** Milk and plain chocolate gateau with orange sauce; fig and passionfruit timbale with peach and mango, Cape gooseberry sauce; heart made of brittle with pistachio praline centre; red wine sponge, vanilla cream with blackberry sauce, almond wafer baskets with berries and three sauces.

**Délicieux desserts du jour.** Gâteau au chocolat blanc et noir avec sauce à l'orange; timbale de figues et de fruits de la passion avec pêche et mangue sur sauce aux groseilles à maquereaux du Cap; cœur de pralin avec garniture de chocolats à la pistache; biscuit au vin rouge, crème à la vanille avec miroir de mûres, petites corbeilles en pâte à tuiles avec baies et trois sauces.

**Tagesdessert „Meine Heimat".** Hippenblatt mit Schokoladencreme, pochiertem Pfirsich und Früchtedekor; gespritzte Brandteigblätter mit grünen und blauen Trauben; Erdbeer-Joghurtcreme im Brandteigkörbchen; kandierte Äpfel auf Schokoladensockel mit Ebereschen im Kuvertürekörbchen.

**"My homeland" dessert of the day.** Almond wafer with chocolate cream, poached peach and fruit décor; piped choux pastry leaves with green and black grapes; strawberry yogurt cream in a choux pastry basket; candied apples on chocolate bases with rowanberries in a couverture basket.

**Dessert du jour «mon pays natal».** Feuille en pâte à tuiles avec crème au chocolat, pêche pochée et fruits en garniture; feuilles en pâte à choux avec raisins blancs et noirs; crème au yogourt et à la fraise en petites corbeilles de pâte à choux; pommes confites sur socle en chocolat avec sorbes en petites corbeilles de couverture.

**Dessertauswahl „Queensland".** Bayrische Creme „Harlekin" mit drei Fruchtcoulis; Frischkäsecreme mit Himbeeren und Schokoladendekor; Creme von roten Pflaumen im Schokoladenband mit Hippenblättern; traditioneller Plumpudding mit Schokoladenüberzug und Mandelbiskuit.

**"Queensland" dessert selection.** "Harlequin" bavarois with three fruit cullis; fromage frais cream with raspberries and chocolate décor; creamed red plums in a chocolate ribbon with almond wafer leaves; traditional plum pudding with chocolate coating and almond sponge.

**Choix de desserts «Queensland».** Bavarois «arlequin» aux trois coulis de fruits; crème au fromage frais avec des framboises et un décor de chocolat; crème de prunes rouges dans un livre de chocolat avec feuilles en pâte à tuiles; plum-pudding traditionnel avec un décor en chocolat et du biscuit aux amandes.

**272**

**„Herunterfallendes Kirschblütenblatt".** Vier Tagesdesserts, hergestellt aus Eiweiß, Zucker, Sojamehl, grünem Tee, Blütengelee, Fruchtwürfeln und Karamel.

**"Falling cherry blossom petal".** Four desserts of the day made of egg white, sugar, soy flour, green tea, floral jelly, diced fruit, and caramel.

**«Pétale de fleur de cerisier virevoltant».** Quatre desserts du jour composés de blanc d'œuf, de sucre, de farine de soja, de thé vert, de gelée de fleurs, de dés de fruits et de caramel.

**Vier Tagesdesserts.** Cointreau-Pyramide mit Erdbeeren und Orangensauce; Timbale mit Himbeercreme und Schokoladenfiligran; Kirschwasserröllchen mit Spritzglasurdekor; Beeren im Körbchen aus weißer und dunkler Kuvertüre.

**Four desserts of the day.** Cointreau pyramid with strawberries and orange sauce; timbale with raspberry cream and chocolate filigree; cherry brandy snaps with royal icing; berries in a basket of light and dark couverture.

**Quatre desserts du jour.** Pyramide au Cointreau avec fraises et sauce à l'orange; timbale de crème à la framboise et filigrane en chocolat; petits roulés au kirsch avec décor en glace royale; fruits en petites corbeilles de couverture blanche et noire.

**Tagesdessert-Auswahl.** Apfeltarte mit Preiselbeersauce; Reiscreme mit weißem Pfirsich, Hippenblatt und Kirschsauce; in Burgunder pochierte Birne mit Birnenmousse und Beeren; Mokkaroulade, mit Schokolade überzogen, Karamelsauce.

**Selection of desserts of the day.** Applepie with cranberry sauce; creamed rice with white peach, almond wafer leaf, and cherry sauce; pear poached in Burgundy with pear mousse and berries; mocha roulade coated with chocolate, caramel sauce.

**Choix de desserts du jour.** Tarte aux pommes avec sauce aux airelles; crème de riz aux pêches blanches; feuille en pâte à cornets et sauce à la cerise; poire pochée au vin de Bourgogne avec mousse de poire et petits fruits; moka roulé recouvert de chocolat, sauce caramel.

**Süßspeisen-Variation.** Dessertstück mit Walderdbeersauce und Mandelbiskuit; warme Frischkäsetorte mit Mangocreme; Parfait von Vanille und Himbeeren mit Florentiner-Spirale; Brombeertimbale mit Minzsauce und Haselnußhippen.

**Sweet variety.** Dessert with wild strawberry sauce and almond sponge; warm fromage frais gateau with mango cream; vanilla and raspberry parfait with Florentine spiral; blackberry timbale with mint sauce and hazelnut wafers.

**Assortiment de gourmandises.** Coulis de fruits des bois et biscuit aux amandes; gâteau chaud au fromage frais avec une crème à la mangue; parfait de vanille et de framboises avec une spirale de florentines; timbale de mûres avec une sauce à la menthe et de la pâte à tuiles à la noisette.

**Vier Tagesdesserts.** Creme von Kapstachelbeeren unter der Spinnzuckerhaube; Baumkuchentörtchen, mit Erdbeercreme gefüllt, und Schleife aus gezogenem Zukker; Savarin von weißer Schokolade mit Nugatsauce, Marzipanrose und Heidelbeeren; Vanillemousse mit drei Fruchtsaucen.

**Four desserts of the day.** Cape gooseberry cream under a hood of spun sugar; pyramid cake tartlets filled with strawberry cream and bow of pulled sugar; savarin of white chocolate with nougat sauce, marzipan rose, and bilberries; vanilla mousse with three fruit sauces.

**Quatre desserts du jour.** Crème de groseilles à maquereaux du Cap sous un dôme de sucre filé; tartelettes en pièce montée garnies de crème à la fraise et de rosettes de sucre tourné; savarin de chocolat blanc avec sauce au nougat, rose en pâte d'amandes et myrtilles; mousse à la vanille avec trois coulis de fruits.

*Wolfgang Leske (Teamchef), Team Vancouver*

**Tagesdessert „Sommer und Winter".** Mintstollen mit Krokantröllchen und Erdbeersauce; Mangotimbale mit Litschis und Kiwisauce.

**"Summer and winter" dessert of the day.** Mint stollen with dainty brittle rolls and strawberry sauce; mango timbale with lychees and kiwi fruit sauce.

**Dessert du jour «été et hiver».** Bûche à la menthe avec petits rouleaux de pralin et coulis de fraises; timbale de mangue avec sauces aux litchis et aux kiwis.

**Moderne Tagesdesserts.** Schlotfeger mit Grand-Marnier-Creme und Erdbeereis; Zimteis-Geometrie mit Pistaziensauce.

**Modern desserts of the day.** Chimney-sweep with Grand Marnier cream and strawberry ice-cream; cinnamon ice-cream geometry with pistachio sauce.

**Desserts modernes.** Ramoneur avec crème au Grand Marnier et glace à la fraise; géométrie de glace à la cannelle avec sauce à la pistache.

**Süßspeisen, auf Teller angerichtet.** Biskuitauflauf mit gebackener Birne und Garnitur; Joghurtcreme mit Orangen und Hippengebäck; Nuß-, Vanille- und Brombeersorbet in der Hippenblüte mit Limettensauce; Walnußmousse im Schokoladenkörbchen mit Johannisbeersauce.

**Sweets served on a plate.** Sponge soufflé with baked pear and garnish; yogurt cream with oranges and almond wafers; nut, vanilla, and blackberry sorbet in an almond wafer with lime sauce; walnut mousse in a chocolate basket with redcurrant sauce.

**Entremets sucrés présentés sur assiette.** Biscuit soufflé avec poire cuite et garniture; crème au yogourt avec oranges et petit gâteau en pâte à tuiles; sorbet à la noix, à la vanille et à la mûre en fleur de pâte à tuiles avec sauce à la limette; mousse à la noix en petite corbeille de chocolat avec sauce aux groseilles.

**Herbstliches Birnendessert Weihnachtsüberraschung.** Marzipan-Dörrbirnen-Schnitte, Holundersauce, Rot-und-Weißwein-Birnenspalten mit Baumnuß-Halbge-frorenem; Schokoladenmousse, Mandarinengelee, Gewürzbiskuit, Fruchtsauce und Granatäpfel; kleine Schaustücke aus Zucker „Herbst" und „Weihnachten".

**Autumn pear dessert Christmas surprise.** Marzipan and dried pear slices, elder-berry sauce, pear segments in red and white wine with sorbet of "tree nuts"; choco-late mousse, mandarin jelly, spicy sponge, fruit sauce and pomegranates; small sugar show-pieces "Autumn" and "Christmas".

**Dessert automnal aux poires Surprise de Noël.** Tranches de poires sèches au massepain, sauce au sureau; quartiers de poires au vin blanc et au vin rouge avec semi-glace à la noix; mousse au chocolat, gelée de mandarine, bisquit épicé, coulis de fruits et grenades; petites pièces de décoration en sucre, «Automne» et «Noël».

**Dessertplatte „Das japanische Fest".** Desserttörtchen mit Maronencreme; Erdbeeren im Apfel aus geblasenem Zucker; kleine Mandel-Nugatkuchen und Krokantschnitten; Schaustück aus Kuvertüre, Marzipan und gezogenem Zucker.

**"Japanese Festival" dessert platter.** Dessert tartlets with creamed chestnuts; strawberries in an apple of blown sugar; small almond and nougat cakes and brittle slices; show-piece of couverture, marzipan; and pulled sugar.

**Plat de desserts «fête japonaise».** Tartelettes garnies de crème de marrons; fraises en pomme de sucre soufflé; petit gâteau aux amandes et au nougat et tranches de nougatine; la pièce maîtresse est réalisée en couverture, en pâte d'amandes et en sucre tourné.

**Dessert-Arrangement „Eine kalte westliche Brise".** Wassermelonencreme auf Mürbeteig mit Hippenblatt; Zuckerschale mit Erdbeersauce und Hippenkörbchen mit Melonenkugeln; Schaustück aus Gelatinezucker und Kuvertüre.

**Dessert arrangement "A cool westerly breeze".** Watermelon cream on a short pastry base with almond wafer leaf; sugar shell with strawberry sauce and almond wafer baskets with melon balls; show-piece of pastillage and couverture.

**Arrangement de desserts «une brise fraîche venant de l'ouest».** Crème à la pastèque sur pâte brisée avec feuille en pâte à tuiles; coupe en sucre garnie de sauce aux fraises et petite corbeille de pâte à tuiles garnie de petites boules de melon; la pièce principale est réalisée en pastillage et en couverture.

**„Modische Verführung".** Moderne Petits fours, unter Verwendung von Marzipan, Fondant, weißer und dunkler Kuvertüre, verschiedenen Massen und Cremes hergestellt. Das Schaustück, aus geschnitzter weißer Kuvertüre hergestellt, zeigt eine Dame vor einem Spiegel.

**"Fashion temptation".** Modern petits fours made of marzipan, fondant, white and dark couverture, various pastes, and creams. The show-piece of sculpted white couverture shows a lady in front of the mirror.

**«Séduction moderne».** Petits fours modernes à base de pâte d'amandes, fondant, couverture blanche et noire, divers appareils et crèmes. La pièce centrale est faite de couverture blanche et représente une dame au miroir.

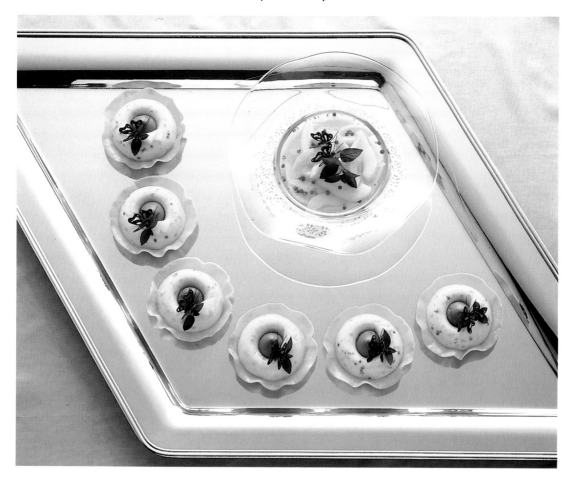

**Birnenkreation.** Birnencreme in der Hippenschale mit Birne aus Schokoladen-mousse und Schmetterling, Birnenspalten in Weingelee.

**Pear creation.** Pear cream in an almond wafer basket with pear made of chocolate mousse and butterfly. Pear segments in wine jelly.

**Création autour d'une poire.** Crème à la poire en coupe de pâte à tuiles avec poire en mousse au chocolat et papillon, quartiers de poire en gelée au vin.

**„St. Nikolaus auf dem Weg nach Australien".** Bayrische Mango-Creme auf Do-boskapsel mit Filigran aus Kuvertüre und Spritzglasur, dazu Säckchen aus Hippen-masse mit einer Sauce aus Passionsfrüchten; das Schaustück ist aus geblasenem und gezogenem Zucker gefertigt.

**"St. Nicholas on his way to Australia".** Mango bavarois on a dobos base with couverture filigree and royal icing; almond wafer sacks with passionfruit cullis. The show-piece is made of blown and pulled sugar.

**«Saint Nicolas en route vers l'Australie».** Bavarois à la mangue sur godet de bis-cuit dobos avec filigrane en couverture et glace royale, petits sacs en pâte à tuiles avec coulis de fruits de la passion; la pièce maîtresse est réalisée en sucre soufflé et tourné.

**„Feines Gebäck zur Teestunde".** Hergestellt aus verschiedenen Teigen und Massen unter Verwendung von Schokolade, Konfitüre, Pistazien, Fondant und Marzipan, Schaustück aus gezogenem Zucker.

**Fine Afternoon Tea Fancies.** Made of various pastes and mixtures using chocolate, jam, pistachios, fondant, and marzipan, show-piece of pulled sugar.

**«Pâtisserie fine pour l'heure du thé».** Composée de divers pâtes et appareils avec emploi de chocolat, confiture, pistaches, fondant et pâte d'amandes; pièce principale en sucre tourné.

**Marzipanpralinen „Arlecchino".** Marzipanpralinen mit Pistazien, Nugat, Grand Marnier, Haselnüssen, Krokant, Himbeergeist, Kuvertüre und den passenden kleinen Dekoren; das Schaustück ist aus Marzipan modelliert.

**"Arlecchino" marzipan pralines.** Marzipan pralines with pistachios, nougat, Grand Marnier, hazelnuts, brittle, raspberry brandy, couverture, and matching small décors, with a moulded marzipan show-piece.

**Chocolats à la pâte d'amande «Arlecchino».** Chocolats à la pâte d'amandes avec des pistaches, du nougat, du Grand Marnier, des noisettes, du pralin, de l'alcool de framboise, de la couverture et de petits décors adaptés à chaque composition; la pièce principale de décoration est modelée en pâte d'amandes.

**Dessertplatte „Rokoko-Mode".** Mangocreme in reich garnierten Behältern aus Gelatinezucker und Eiweißglasur. Tanzpaar aus Gelatinezucker modelliert mit Spritzglasur.

**"Rococo vogue" dessert platter.** Mango cream in richly garnished cases of pastillage and egg white glaze. Dancing couple of pastillage and royal icing.

**Dessert sur assiette «mode rococo».** Pièces richement décorées de pastillage et de glaçage au blanc d'œuf garnies de crème de mangue. Couple de danseurs modelé en pastillage et décoré de glace royale.

**Köstliches aus der Patisserie.** Baiserschalen, gefüllt mit marinierten roten Beeren und mit einem Marzipankleeblatt garniert. Das Schaustück ist aus Marzipan und Spritzglasur hergestellt.

**Pâtisserie delights.** Meringue shells filled with macerated red berries and garnished with a marzipan clover leaf. The show-piece is made of marzipan and royal icing.

**Délices du pâtissier.** Coupes en meringue garnies de fruits rouges macérés et décorées avec une feuille de trèfle en pâte d'amandes. La pièce centrale est réalisée en pâte d'amande et en glace royale.

**„Süße Mode".** Diese elegante Dessertplatte zeigt Orangencreme in der Hutschachtel aus weißer und dunkler Kuvertüre, weißer Schokoladenring mit Beerenperle auf süßem Gebäckkissen und Marzipanhütchen auf Schokoladenständer. „Modische Dame" aus weißer Schokolade geschnitzt.

**"Sweet fashion".** This elegant dessert platter features orange cream in a hat box made of white and dark couverture, white chocolate ring with a berry pearl on a sweet pastry cushion, and marzipan hat on a chocolate stand. "Fashionable lady" is sculpted from white chocolate.

**«Mode sucrée».** Cette élégante présentation de desserts est composée des éléments suivants: crème à l'orange en carton à chapeaux fait de couverture blanche et noire, anneau de chocolat blanc avec des perles de fruits sur coussin de pâtisserie et petits chapeaux en pâte d'amandes sur présentoirs en chocolat. «Dame à la mode» sculptée en chocolat blanc.

**Feine Petits fours mit Schaustück.** Hergestellt aus Marzipan, Kuvertüre, Hippenmasse, Pistazien, Fondant und verschiedenen Cremes; Schaustück aus Gelatinezukker gefertigt.

**Fine petits fours with show-piece.** Made of marzipan, couverture, almond wafer mixture, pistachios, fondant, and various creams; show-piece made of pastillage.

**Petits fours fins avec pièce d'exposition.** Composés de pâte d'amandes, de couverture, de pâte à cornet, de pistaches, de fondant et de crèmes diverses; la pièce d'exposition est réalisée en pastillage.

**Baumkuchen „Kir Royal".** Baumkuchen, Biskuit, Champagner-Johannisbeer-Creme, Marzipanschwäne, Schokoladenornamente und Beeren auf einem Schokoladenblatt, Zuckerschaustück „Patissier".

**"Kir royal" pyramid cake.** Pyramid cake, sponge, champagne and redcurrant cream, marzipan swans, chocolate ornaments, and berries on a chocolate leaf. "Patissier" show-piece made of sugar.

**Gâteau pièce montée «Kir Royal».** Gâteau pièce montée, biscuit, crème de groseilles au champagne, cygnes en pâte d'amandes, ornements en chocolat et baies sur une feuille en chocolat. Pièce décorative en sucre «le pâtissier».

**Dessertplatte „Erinnerung".** Tequila-Creme mit süßem Baby-Kaktus-Kompott auf Schokoladensockel mit Kaktus aus Vollkornteig, Marzipangarnituren und Marzipanmokassin mit roter Birnensauce; Indianerkopf aus Kuvertüre geschnitzt.

**"Memory" dessert platter.** Tequila cream with sweet baby cactus compote on a chocolate base with cactus of wholemeal pastry, marzipan garnishes and marzipan mocassin with red pear sauce; Indian's head carved in couverture.

**Plat de desserts «souvenir».** Crème à la tequila avec compote de jeunes cactus sur socle de chocolat et cactus en pâte de farine complète, garnitures en pâte d'amandes et mocassin en pâte d'amandes avec sauce aux poires rouges; tête d'indien sculptée en couverture.

**Dessertplatte auf Wikingerart.** Bayrische Mokka- und Pistazien-Creme im Wikingerhelm, Schild und Waffen aus Hippenmasse; Marzipankörbchen mit kandierten Pistazien, Marzipan-Füllhorn mit Mokkasauce und Schaustück aus Kuvertüre.

**"Viking" dessert platter.** Mocha and pistachio bavarois in a Viking helmet, shield and weapons made of almond wafer; marzipan baskets with candied pistachios, marzipan horn filled with mocha sauce and couverture show-piece.

**Plat de desserts «à la manière des Wikings».** Bavarois au moka et à la pistache en casque de Wiking, bouclier et armes en pâte à tuiles; petites corbeilles de pâte d'amandes avec pistaches confites; corne d'abondance en pâte d'amandes avec sauce au moka et pièce principale en couverture.

*Jack Awyong (Teamchef), Nationalmannschaft Singapur*

**Anspruchsvolle Dessert-Komposition.** Kleine Birne, in Rotwein pochiert, Pistazientorte mit gebackenem Litschi-Knödel. Das Schaustück, ein alter chinesischer Apothekenschrank aus Rosenholz mit den dazugehörenden Gerätschaften, wurde aus Kuvertüre und Zucker naturgetreu nachgebildet.

**Exclusive dessert composition.** Small pear poached in red wine, pistachio gateau with baked lychee dumplings. The show-piece, an antique Chinese apothecary's rosewood cabinet with the corresponding utensils is made of couverture and sugar and is an exact copy of the original.

**Assortiment recherché de desserts.** Petite poire pochée au vin rouge, gâteau à la pistache avec des boulettes de litchis cuites au four; la pièce centrale, une armoire ancienne d'apothicaire chinois en bois de rose avec ses ustensiles est reconstituée minutieusement en couverture et en sucre.

**„Nostalgie".** Petits fours aus Schokolade, Biskuit, Fondant, Marzipan und verschiedenen Cremes in der Form nostalgischer Haushaltsgerätschaften. Schaustück aus modelliertem, geschminktem Marzipan und Kuvertüre.

**"Nostalgia".** Petits fours made of chocolate, sponge, fondant, marzipan, and various creams in the shape of nostalgic household utensils. Show-piece of moulded, painted marzipan and couverture.

**«Nostalgie».** Petits fours en chocolat, biscuit, fondant, pâte d'amandes et crèmes variées préparées dans des moules anciens; pièce de décor en pâte d'amandes modelée, colorée et en couverture.

*Franz von Eichenauer (Teamchef), Nationalmannschaft Rußland*

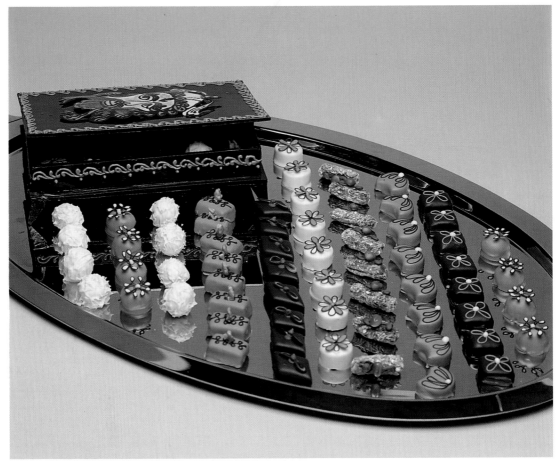

**Russische Schokoladen-Schatulle.** Champagnertrüffel, Nußnugat, Marzipan, weiße und dunkle Kuvertüre, Schokoladenornamente, Schaustück aus Kuvertüre.

**Russian chocolate box.** Champagne truffles, nut nougat, marzipan, white and dark couverture, chocolate ornaments, show-piece of couverture.

**Cassette russe en chocolat.** Truffes au champagne et nougat à la noix, pâte d'amandes, couverture blanche et noire, ornements de chocolat, pièce de décoration en couverture.

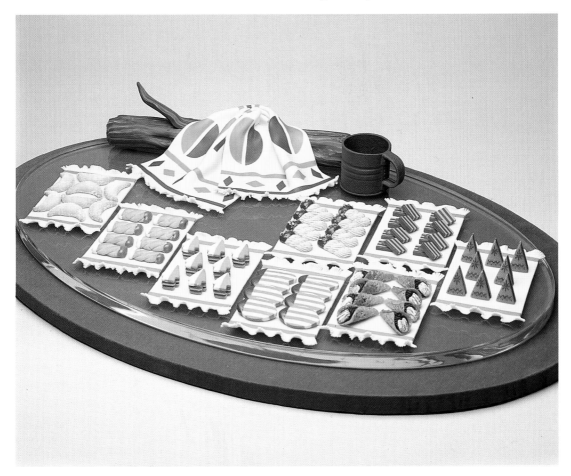

**Präriegebäck zum Kaffee.** Aus verschiedenen Teigen und Massen mit Krokant, Pecan-Nüssen, Pistazien, Mandeln, Fondant, Nugat und Schokolade hergestellt.

**Prairie coffee delights.** Made of various pastes and mixtures with brittle, pecan nuts, pistachios, almonds, fondant, nougat, and chocolate.

**Petits fours de la prairie pour le café.** Différentes pâtes et appareils composés de pralin, de noix de pécan, de pistaches, d'amandes, de fondant, de nougat et de chocolat.

**Flitterwochen.** Apfelcreme im Schokoladenbecher mit stilisierter Apfelblüte aus Zucker. Schaustück aus geblasenem Zucker.

**Honeymoon.** Chocolate cup filled with apple cream and stylised apple blossom made of sugar. Show-piece of blown sugar.

**Lune de miel.** Crème à la pomme en gobelet de chocolat avec fleur de pommier stylisée en sucre. La pièce de décoration est faite de sucre soufflé.

**Dessertplatte „Zur Hochzeit".** Baumkuchen mit Vanillecreme, Himbeerspiegel und Schmetterling aus weißer Kuvertüre, dunkle Hippenblüte mit Beeren, Hochzeitskutsche aus Spritzglasur mit Rosendekor.

**"Wedding Day" dessert platter.** Pyramid cake with vanilla cream, raspberry sauce and butterfly made of white chocolate, dark almond wafer blossom with berries, wedding coach made of royal icing, and rose décor.

**Choix de dessert «pour un mariage».** Gâteau pièce montée avec crème à la vanille, miroir de framboises et papillon en couverture blanche, fleur noire en pâte à tuiles avec petits fruits, calèche de mariage en glace royale avec décor de roses.

**„Reiche Beerenernte".** Petits fours aus Baumkuchen, Fondant, verschiedenen Füllcremes und kleinen Garnituren aus Zucker und Kuvertüre; das Schaustück, ein Korb mit verschiedenen Beeren, ist aus gezogenem Zucker hergestellt.

**"Rich harvest of berries".** Petits fours made of pyramide cake, fondant, filled with various creams, and small garnishes of sugar and couverture; the show-piece, a basket filled with different berries, is made of pulled sugar.

**«Abondante cueillette de baies».** Petits fours en gâteau pièce montée, fondant, crèmes de garniture variées et petits décors en sucre et en couverture; la pièce centrale, une corbeille remplie de différentes sortes de baies est faite de sucre tourné.

**Petits-fours-Variationen.** Dobosmasse, Konfitüre, Marzipan, Fondant und Spritz-schokolade sind Grundbestandteile dieser Petits fours, die das Schaustück mit harmonisch abgestimmtem, ausgelassenem Blütendekor umrahmen.

**Petits fours variations.** Dobos mixture, jam, marzipan, fondant, and piped chocolate are the basic ingredients of these petits fours; surrounding the show-piece with a harmonizing, piped floral décor.

**Assortiment de petits fours.** Biscuit dobos, confiture, pâte d'amandes, fondant et chocolat de décoration sont les composants de ces petits fours qui encadrent harmonieusement la pièce principale décorée de fleurs.

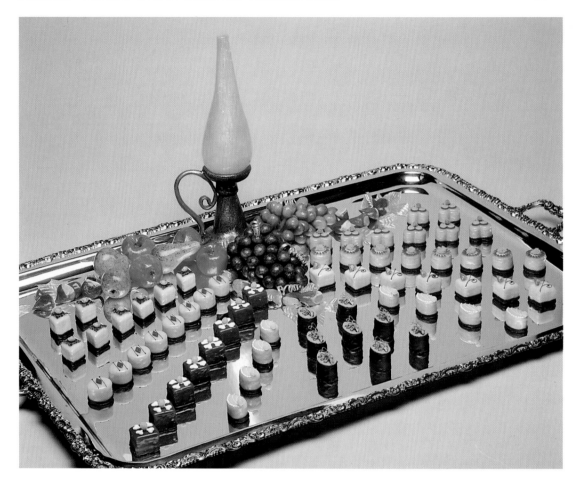

**Platte mit Petits fours „Nostalgie".** Petits fours aus Dobosmasse, Fondant, Kuvertüre, Brandteig, Nüssen, Nugat und Cremes mit kleinen Garnituren; das Schau-
Arrangement ist aus Marzipan, geblasenem Zucker und Schokolade hergestellt.

**"Nostalgia" petits fours platter.** Petits fours of dobos mixture, fondant, couverture, choux pastry, nuts, nougat, and creams with dainty garnishes. The show-piece
is made of marzipan, blown sugar, and chocolate.

**Plateau de petits fours «nostalgie».** Petits fours faits de biscuit dobos, de fondant, de couverture, de pâte à choux, de noix, de nougat et de crèmes avec petites
garnitures; l'arrangement décoratif est réalisé en pâte d'amandes, en sucre soufflé
et en chocolat.

**„Mädchen mit Rosenfüllhorn".** Petits fours, hergestellt aus weißer und dunkler Kuvertüre, Pistazien, Mandeln, Nüssen, Fondant, Dobosmasse und verschiedenen Cremes, mit einem Schaustück aus gezogenem Zucker.

**"Girl with rose cornucopia".** Petits fours made of white and dark couverture, pistachios, almonds, nuts, fondant, dobos mixture, and various creams with a showpiece of pulled sugar.

**«Jeune fille avec corne d'abondance garnie de roses».** Petits fours composés des ingrédients suivants: couverture blanche et noire, pistaches, amandes, noix, fondant, appareil de biscuit dobos et différentes crèmes; la pièce décorative est faite de sucre tourné.

**„Herbstliche Ernte".** Die Petits fours sind aus Fondant, Dobosmasse und Cremes, mit verschiedenen Schnäpsen und Likören abgeschmeckt und mit den dazu passenden kleinen Garnituren versehen, das Schaustück aus Schokolade, Marzipan und Zucker in verschiedenen Techniken gestaltet.

**"Autumn Harvest".** The petits fours are made of fondant, dobos mixture, and creams, flavoured with various brandies and liqueurs and decorated with matching dainty garnishes. The show-piece is made of chocolate, marzipan and sugar formed using various techniques.

**«Cueillette automnale».** Les petits fours sont faits de fondant, de biscuit dobos et de crèmes parfumées à différents alcools et liqueurs, décorés avec de petites garnitures assorties. La pièce maîtresse est formée de chocolat, de pâte d'amandes et de sucre avec utilisation de techniques diverses.

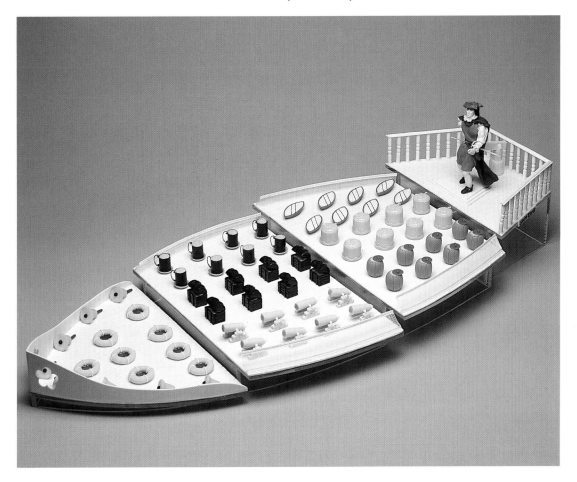

**„Kolumbus landet in Amerika".** Aus Marzipan, Fondant, heller und dunkler Schokolade, Spritzglasur, Konfitüre und Cremes sind die Petits fours zubereitet; Schiff und Dekorationsstück sind aus Gelatinezucker gefertigt.

**"Columbus lands in America".** The petits fours are made of marzipan, fondant, light and dark chocolate, royal icing, jam, and cream; ship and ornament are made of pastillage.

**«Christophe Colomb découvre l'Amérique».** Ces petits fours sont préparés avec les ingrédients suivants: pâte d'amandes, fondant, chocolat au lait et chocolat noir, glace royale, confiture et crèmes; le bateau et la pièce de décoration sont réalisés en pastillage.

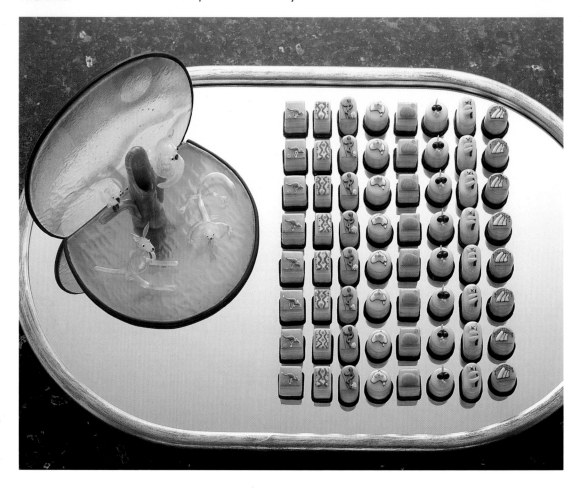

**Ein Tag in Australien.** Schokoladensockel, Doboskapsel, Fondant, verschiedene Liköre und landestypische Dekore. Schaustück aus gegossenem und geblasenem Zucker.

**A day in Australia.** Chocolate base, dobos case, fondant, various liqueurs, and typical national décors. Show-piece of poured and blown sugar.

**Un jour en Australie.** Socle de chocolat, biscuit dobos en godets, fondant, liqueurs diverses et décors typiques du pays. Pièce centrale en sucre moulé et soufflé.

**Petits fours „Queen Charlotte".** Hergestellt aus Fondant, Dobosmasse, Konfitüre, Nugat und diversen Cremes; das Schaustück ist aus Kuvertüre geschnitzt.

**Petits fours "Queen Charlotte".** Made of fondant, dobos mixutre, jam, nougat, and various creams; the show-piece is carved in couverture.

**Petits fours de la «reine Charlotte».** Composés de fondant, d'appareil de biscuit dobos, de confiture, de nougat et de crèmes diverses; la pièce de décoration est réalisée en couverture sculptée.

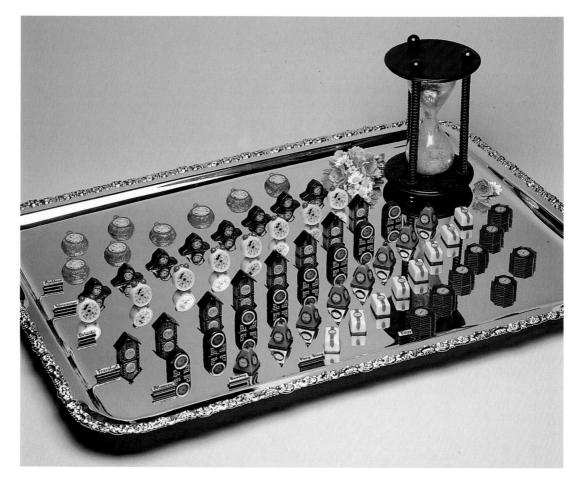

**„Zeitlos".** Diese Petits fours sind aus Krokant, weißer, heller und dunkler Schokolade, verschiedenen Massen und Cremes hergestellt; die Sanduhr ist aus geblasenem Zucker und Kuvertüre gefertigt.

**"Timeless".** These petits fours are made of brittle, white, milk and plain chocolate, various mixtures, and creams; the hourglass is made of blown sugar and couverture.

**«Intemporel».** Ces petits fours sont composés de pralin, de chocolat blanc, au lait et noir, de différents appareils et de crèmes variées; le sablier est réalisé en sucre soufflé et en couverture.

*Caroline O'Regan, „Waldhotel Schatten", Stuttgart*

**Teegebäck in Dur und Moll.** Hergestellt aus verschiedenen Teigen und Massen unter Verwendung von Kuvertüre, Marzipan, Nüssen und Konfitüre. Das Schaustück, ein Flügel aus Krokant, ist garniert mit Spritzglasur und Rosen aus gezogenem Zucker.

**Tea fancies in major and minor keys.** Made of various pastes and mixtures using couverture, marzipan, nuts, and jam. The show-piece, a grand piano made of brittle, is garnished with royal icing and roses of pulled sugar.

**Friandises pour le thé «en majeur et en mineur».** Composé de différentes pâtes et différents appareils avec utilisation de couverture, pâte d'amandes, noix et confiture. La pièce de décoration, un piano à queue en pralin est décorée de glace royale et de roses en sucre tourné.

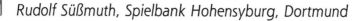 
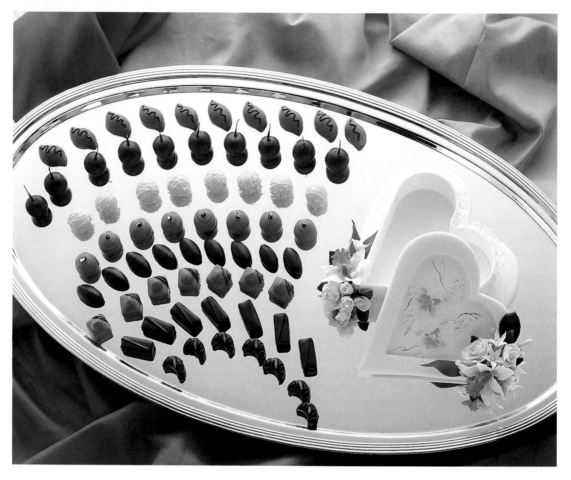

**Pralinenauswahl „Hohensyburg".** Weichselkirschen, Pistazienmarzipan, Haselnuß, Himbeergeist, Williamsgeist, Mandelnugat, Kirschwasser- und Buttertrüffel sind die geschmacklichen Varianten dieser Kombination.

**Selection of "Hohensyburg" pralines.** Weichsel cherries, pistachio marzipan, hazelnut, raspberry brandy, pear brandy, almond nougat, cherry brandy, and butter truffle are the different flavours used in this selection.

**Assortiment de chocolats «Hohensyburg».** Des cerises de Weichsel, de la pâte d'amandes à la pistache, des noisettes, de l'alcool de framboises, de l'alcool de poires William, du nougat aux amandes, des truffes au beurre et au kirsch sont les composants de cette variation de saveurs différentes.

**„Blumengarten".** Petits fours aus Marzipan, Beeren, Fondant, Schokolade, Brandteig, Krokant und Cremes mit kleinen Blüten aus Gelatinezucker.

**"Flower Garden".** Petits fours of marzipan, berries, fondant, chocolate, choux pastry, brittle, and creams with small pastillage flowers.

**«Floralies».** Petits fours en pâte d'amandes, fruits, fondant, chocolat, pâte à choux, pralin et crèmes avec petites fleurs en pastillage.

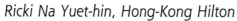

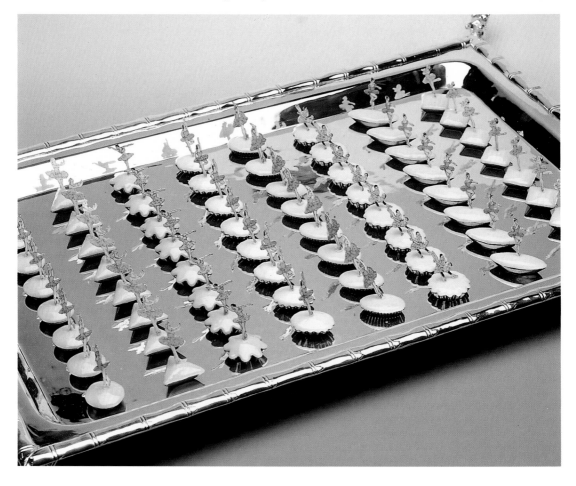

**Petits fours Ballett.** Kefir-Limetten, rote Bohnen, Cashewnüsse, Mohn, Mandarine, Kokosnuß, Kürbis und Pistazien sind die geschmacklichen Varianten der Cremefüllungen.

**Petits fours ballet.** The cream fillings are in a variety of flavours: kefir limes, kidney beans, cashew nuts, poppyseed, mandarin, coconut, pumpkin, and pistachio.

**Ballet de petits fours.** Limettes au kéfir, haricots rouges, noix de cajou, pavot, mandarine, noix de coco, courge et pistaches donnent aux crèmes de garniture des saveurs variées.

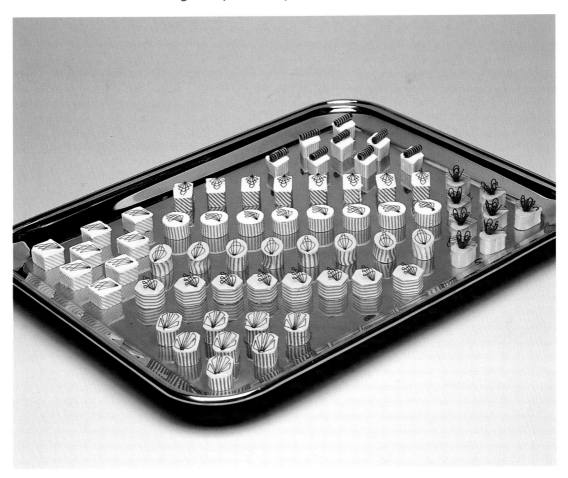

**Petits fours „Vision 2000".** Hergestellt aus Fondant und verschiedenen Teigen, Massen und Cremes mit Dekor aus Schokoladenfiligran.

**Petits fours "vision 2000".** Made of fondant and various pastes, mixtures, and creams with a décor of filigree chocolate.

**Petits fours «vision 2000».** Confectionnés à base de fondant et de différents appareils et crèmes avec un décor en filigrane de chocolat.

**Dessertplatte „Herbstliche Klänge".** Krokantschale mit Traubencreme und blauen Trauben; Schaustück aus gezogenem und geblasenem Zucker.

**"Autumn days" dessert platter.** Brittle shell with grape cream and black grapes; show-piece of pulled and blown sugar.

**Plat de dessert «sonorité automnale».** Coupe en pralin garnie de crème aux raisins et de raisins noirs; pièce de décoration en sucre tourné et soufflé.

# Epilog

Als der „Verband der Köche Deutschlands" die Aufgabe an mich herantrug, den vierten Band aus der Reihe „Kochkunst in Bildern" zu gestalten, reizte mich besonders die Aussicht, die IKA einmal aus einer anderen Perspektive kennenzulernen – weder als Aussteller noch als Juror.

Bei diversen Aktivitäten und bei der Auswahl der Exponate war ich nicht wie die Teilnehmer und Juroren an Richtlinien und Wettbewerbsbedingungen gebunden, sondern konnte frei nach meinem Gutdünken auswählen. Das Gefühl, frei zu sein von allen Zwängen, ließ mich sehr schnell und deutlich erkennen, welche fachlichen und kulinarischen Leistungen hier auf sehr begrenztem Raum und in nur fünf Tagen von den vielen Köchinnen und Köchen aus aller Welt demonstriert wurden.

Die gestaltende Kochkunst, die die Möglichkeit hat, auf alle lukullischen Schätze der Erde zurückzugreifen, von Könnern der kalten und warmen Küche dargeboten, zeigt ein Spektrum internationaler Spezialitäten mit einer Brillanz, wie sie sonst auf keiner anderen Veranstaltung zu sehen ist. Neuschöpfungen und entsprechende Darbietungsformen, verbunden mit den Erkenntnissen über moderne Ernährung, und ein sicheres Gefühl für Stil und Ästhetik zeichnen die Aussteller aus, die hier ihre Exponate einer internationalen Fachwelt präsentieren.

So wie die Kochkunst einem steten Wandel unterworfen ist, so ist dieser Band selbstverständlich auch etwas anders als seine Vorgänger. Er soll kein Lehrbuch sein, sondern ein Leitfaden und Ratgeber für den interessierten Fachmann. Ihn zu neuen Ideen anzuregen, ihm die Möglichkeit zu geben, Vergleiche zu ziehen, und vielleicht auch die eine oder andere Erinnerung an die „Olympiade der Köche 1992" zu wecken, dies ist mein Wunsch und Bestreben.

Es war mir weiterhin ein Anliegen, hier eine Dokumentation zu erstellen, die gewissermaßen in einer Momentaufnahme die kulinarische Kunst im Jahre 1992, wie sie auf der „Olympiade der Köche" gezeigt wurde, widerspiegelt. Schon beim ersten Betrachten wird klar, daß dieser Band zwar von der Seitenzahl etwas weniger umfangreich ist als seine Vorgänger, jedoch ein breiteres Spektrum dieser Ausstellung abdeckt.

Die Einteilung der Kapitel wurde nach den Ausstellungsrichtlinien geordnet und die Exponate mit der von der Jury zuerkannten Auszeichnung versehen.

Erstmalig ist auch der Kategorie der Schau- und Dekorationsstücke ein eigenes Kapitel gewidmet, um dem ihr zukommenden Stellenwert Rechnung zu tragen. Gerade auf diesem Gebiet kann der künstlerisch begabte Koch seiner Phantasie und Neigung freien Lauf lassen und mit seinen Objekten bei Büfetts und Empfängen in spezieller Weise auf seine Leistungen aufmerksam machen.

Diäten und andere Kostformen, die einen immer breiteren Raum in den Anforderungen an den Fachmann einnehmen, waren in einer eigenen Kategorie und durch das „Restaurant für gesunde Ernährung" vertreten. In diesem Restaurant demonstrierte die Diät-Brigade des VKD sehr erfolgreich, daß gesunde Ernährung, konsequent und mit dem nötigen Engagement angeboten, auch einen Vergleich im internationalen Rahmen einer Kochkunstschau nicht zu scheuen braucht.

Ebenso soll der Nachwuchs in diesem Werk nicht vergessen werden. Immerhin kochten zwölf Juniorennationalteams im „Restaurant der Jugend" um Kleeblätter in Gold, Silber und Bronze. Es war ein sehr interessanter Wettbewerb, der den hohen internationalen Ausbildungsstand im Berufsbild Koch veranschaulichte, und ein besonderer Anziehungspunkt für die zahlreichen Fachbesucher, die hier – live – miterleben konnten, mit welchem Eifer diese jungen Kolleginnen und Kollegen ihre Aufgaben erfüllten.

Im Rückblick auf die IKA '92 und meine Arbeit an diesem Buch möchte ich an dieser Stelle meine Bewunderung und Anerkennung für den Autor der ersten drei Bände „Kochkunst in Bildern" zum Ausdruck bringen, unseren unvergessenen, leider viel zu früh verstorbenen Kollegen und Fachbuchautor Karl Brunnengräber, der sich damit ein Denkmal gesetzt und der Kochkunst einen großen Dienst erwiesen hat.

*Rudolf Decker*

# Epilogue

When the "Association of German Chefs" asked me to compile the fourth volume in the series of "Illustrated Cuisine", I was particularly attracted by the idea of seeing the International Culinary Exhibition from a different perspective – in other words, not as an exhibitor or juror. Unlike the participants and jury, I was not bound by rules and competition conditions when it came to selecting exhibits and activities, but could choose according to my own, no doubt very subjective, opinion. However, the sensation of being free from all constraints soon made me realise very clearly the immense technical and culinary feats demonstrated here by the many cooks and chefs from all over the world in very limited space and in only five days.

The creative art of cooking, making the most of the virtually innumerable treasures the world has to offer and presented by connoisseurs of cold and hot cuisine, shows a range of international specialities in a brilliance unparalleled at any other event. New creations and appropriate forms of presentation combined with a thorough knowledge of modern nutrition and an innate sense of style and aesthetics are characteristic of the exhibitors who present their work to international professional circles on this occasion.

Just as the art of cooking is constantly changing, this book too differs slightly from its predecessors. It is intended not as an instruction manual, but rather as a guide for the interested professional. To stimulate new ideas, give the reader the chance to make comparisons and perhaps to arouse the odd reminiscence about the "1992 Culinary Olympics": that is my wish and my endeavour.

It was also my aim to compile a documentation which would to a certain extent reflect the art of haute cuisine in 1992 as portrayed at the "Culinary Olympics". It is evident at first glance that while this volume may be slightly smaller in terms of volume than the previous ones, it nevertheless covers a wider spectrum of the exhibition.

The book has been divided into chapters according to the exhibition regulations and the award given by the jury is stated beside the exhibit.

For the first time, show-pieces and decorative items are dealt with in a separate chapter, in recognition of the importance due to that category. In this sector in particular, the artistically gifted chef can give free rein to his imagination and inclination, calling attention to his work at buffets and receptions in an extraordinary way.

A separate category was allocated to light diet and other special types of food, which play an increasingly important role in the demands made on the expert. In addition, at the "Restaurant for healthy eating" the dieticians of the Association of German Chefs showed most convincingly that healthy eating – when offered consistently and with the necessary commitment – need fear no comparison within the international framework of a culinary exhibition.

Nor did we wish to neglect up-and-coming talent in this volume. After all, there were 12 junior national teams cooking at the "Young People's Restaurant" for the coveted gold, silver, and bronze clover leaves. This very interesting competition clearly illustrated the high international standard of training for the profession of chef. It also proved a central point of attraction for numerous professional visitors, who could experience here at first hand the enthusiasm with which these young colleagues pursued their tasks.

Looking back on the 1992 IKA and my work on this book, I should like to take this opportunity of expressing my admiration and respect for the author of "Illustrated Cuisine" volumes 1 to 3, our sadly missed and unforgotten colleague and author Karl Brunnengräber. In compiling those books, he set himself a memorial and rendered the culinary arts a great service.

*Rudolf Decker*

# Conclusions

Quand la «Fédération allemande des cuisiniers» m'a confié la tâche de réaliser le quatrième volume de «l'art culinaire en illustrations», je fus vivement intéressé à l'idée de participer à l'IKA sous une toute autre perspective, à savoir, ni au titre d'exposant, ni à celui de membre du jury.

La sélection des objets d'exposition et des activités était pour ma part indépendant des instructions et des règles du concours imposées aux exposants et aux membres du jury. J'ai pu ainsi, non il est vrai, sans une certaine subjectivité, faire mon choix. La sensation d'être libre de toute contrainte m'a cependant vite montré plus clairement le haut niveau professionnel des participants. Dans un espace de temps très limité, cinq jours seulement, les cuisinières et cuisiniers du monde entier ont fait preuve ici de performances professionnelles et culinaires exceptionnelles.

L'art culinaire créatif laisse porte ouverte à l'utilisation d'innombrables trésors de la terre qui seront utilisés par les professionnels compétents pour la réalisation de plats chauds et froids; it contribue ainsi à la présentation d'une palette de spécialités internationales avec une magnificence jamais égalée jusqu'ici dans d'autre manifestations. De nouvelles créations et des formes de présentation correspondantes, en harmonie avec les connaissances relatives à l'alimentation moderne et le sens du style et de l'esthétique distinguent les exposants qui présentent ici leurs œuvres au monde professionnel international.

L'art culinaire est en perpétuelle évolution et c'est pourquoi ce livre est évidemment quelque peu différent de son prédécesseur. Ce volume n'est pas un manuel d'enseignement mais plutôt un guide et conseiller pour le professionnel intéressé. Il peut lui suggérer de nouvelles idées, lui permettre de faire des comparaisons et peut-être aussi de réveiller en lui l'un ou l'autre souvenir de «l'Olympiade des cuisiniers 1992»; c'est mon souhait et mon aspiration. De plus, j'avais le désir d'établir une documentation qui reflèterait l'art culinaire en 1992 tel qu'il a été présenté à l'Olympiade des cuisiniers. Dès la première observation, ce volume apparaît clairement plus petit que le précédent. Néanmoins, il présente un aperçu plus complet de cette exposition.

La répartition des chapitres a été faite selon les directives de l'exposition et les prix accordés aux œuvres par le jury ont été notifiés.

Pour la première fois, un chapitre a été consacré à la catégorie des pièces d'exposition et de décoration pour prendre en compte, et à juste titre, leur importance d'utilisation. C'est justement dans de domaine que l'artiste-cuisinier peut donner libre cours à son imagination et à son inspiration et à cet effet attirer avec ses œuvres, de manière toute particulière, l'attention sur ses performances lors de buffets et de réceptions.

La diététique et d'autres formes d'alimentation qui prennent une place toujours plus importante parmi les exigences réclamées au spécialiste sont présentées dans une catégorie qui leur est propre et par le «Restaurant pour une cuisine saine». Dans ce restaurant, l'équipe diététique de la fédération «VKD» a eu beaucoup de succès. Elle a prouvé qu'une alimentation saine proposée avec l'engagement nécessaire n'a aucune raison de craindre la comparaison dans le cadre international d'une exposition d'art culinaire.

De même, la nouvelle génération ne doit pas être oubliée dans cet ouvrage. Toujours est-il, 12 équipes internationales juniors ont cuisiné dans le «Restaurant de la jeunesse» pour un trèfle en or, argent et bronze. Ce fut un concours très intéressant qui mit en évidence le haut niveau international de formation. Les nombreux visiteurs professionnels y ont été tout particulièrement attirés et ont pu se rendre compte en direct avec quelle ardeur ces jeunes collègues ont rempli leurs tâches.

Pour revenir à l'IKA 92 et à mon travail concernant ce livre, je désirerais exprimer ici mon admiration et ma reconnaissance à l'auteur des volumes l à 3 «L'art culinaire en illustrations», notre collègue et auteur spécialisé, inoublié et beaucoup trop tôt disparu, Karl Brunnengräber. Il a laissé là une œuvre impérissable et a rendu un grand service à l'art culinaire.

*Rudolf Decker*

# Sichern Sie sich die Kontinuität des Werkes!

Selbst der beruflich versierte und kulinarisch geübte Betrachter steht einer IKA – einer „Olympiade der Köche" – beinahe ohnmächtig gegenüber.
Das fachliche Können und die meisterliche Kreativität überzeugen fast jeden und beeindrucken alle. Freilich wird in der Hektik einer solchen „Live-Veranstaltung" vieles nur am Rande wahrgenommen, deshalb drängt sich die Idee einer publizistischen Nachschau förmlich auf.

Schon vor Jahren entschloß sich der Verband der Köche Deutschlands e. V. einen Band herauszugeben, in dem diese Anregungen fotografisch festgehalten wurden.
Der Erfolg dieses ersten Bandes ermutigte zur Herausgabe des zweiten, des dritten und jetzt des vierten Bandes.

Sollte Ihnen noch eine der vorhergehenden Ausgaben fehlen, können Sie nachbestellen:

Band 1: 520 Seiten, 225 Farbabbildungen
Band 2: 500 Seiten, 215 Farbabbildungen
Band 3: 560 Seiten, 500 Farbabbildungen

HUGO MATTHAES DRUCKEREI UND VERLAG GMBH & CO. KG
Stuttgart – München – Frankfurt – Hamburg